Tel est le sens
absurde et fantastique
de cette ville qui, par son destin
et son influence,
ne peut se comparer à nulle autre.
Quel est donc son accessible
et visible appareil?

Joseph Kessel

HELLZA

starring

OLSEN and JOHNSON

with

MARTHA RAYE

HUGH HERBERT   MISCHA AUER
JANE FRAZEE   ROBERT PAIGE
30 CONGEROOS

A UNIVERSAL PICTURE

POPPIN'

Né en 1962, ancien élève de l'Ecole normale supérieure de Fontenay-Saint Cloud, Christian-Marc Bosséno est historien et critique de cinéma, cofondateur et directeur de publication de la revue *Vertigo* depuis 1987. Il collabore régulièrement à diverses revues. Auteur de plusieurs essais sur l'imaginaire politique italien au XVIIIᵉ siècle, il a publié en 1988, avec M. Vovelle et Ch. Dhoyen, *Immagini della libertà. L'Italia in Rivoluzione, 1789-1799* (Rome, Editori Riuniti).

Docteur de l'Ecole des Hautes Etudes en sciences sociales, Jacques Gerstenkorn est maître de conférences à l'université de Lyon-II, où il enseigne l'histoire du cinéma et l'esthétique du film. Il anime par ailleurs la revue *Vertigo*, qu'il a fondée en 1987 avec un groupe d'amis de l'Ecole normale supérieure de Fontenay-Saint Cloud.

1ᵉʳ dépôt légal : avril 1992
Dépôt légal : mars 2003
Numéro d'édition : 122406
ISBN : 2-07-053153-8 ·
Imprimé en France par Kapp Lahure

HOLLYWOOD
L'USINE À RÊVES

Christian-Marc Bosséno
Jacques Gerstenkorn

DÉCOUVERTES GALLIMARD
ARTS

On parlait de tout et de rien, de la pluie et du beau temps, dans ce train qui roulait à toute vapeur vers Kansas City.

– Et comment s'appelle votre ferme ? s'enquit Mrs Wilcox.

– Hollywood, répondit une certaine Mrs Hendrick.

– «Bois de houx», murmura Mrs Wilcox d'un air songeur. Quel joli nom... Je vous l'emprunterais volontiers pour ma propriété de Cahuenga Valley.

CHAPITRE PREMIER
NAISSANCE D'UN EMPIRE (1900-1918)

En route vers la gloire ? Comme des milliers de pionniers, ce cow-boy solitaire débarque à Hollywood pour une nouvelle conquête de l'Ouest. «Ne tirez pas sur les lapins depuis la plateforme», pouvait-on lire alors à l'arrière du tramway.

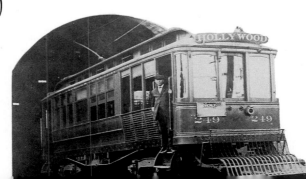

Avant l'arrivée des gens de cinéma, Hollywood est une localité paisible de la «ceinture sans gel», réputée pour son climat et ses plantations d'orangers

En 1886, les Wilcox achètent un grand terrain dans les environs de Los Angeles. Il y plantent des arbres fruitiers, sèment des haricots, divisent le terrain en blocs et les blocs en parcelles; ils tracent une allée centrale, pompeusement baptisée «Prospect», sans se douter que cette allée est promise à un bel avenir sous le nom de «Hollywood Boulevard».

Au tournant du siècle, un peintre français, Paul de Longpré, fait construire une somptueuse demeure et plante une magnifique roseraie qui devient, pour les premiers et rares touristes, la principale curiosité du lieu. A deux pas, le Normand René Blondeau ouvre la première taverne du village, Cahuenga House, vite reconvertie en salon de coiffure. On compte aussi quelques boutiques tenues par des familles d'origine allemande, comme celle de Jacob Muller, le boucher. A signaler également le Rancho La Brea, où l'on a

C'est à une simple spéculation foncière qu'on doit la fondation de Hollywood. En propriétaire avisé, Harvey Henderson Wilcox fit immédiatement dresser une carte prospective de son ranch à l'attention des agents immobiliers. Personne ne pouvait cependant imaginer que, vendus quelques centaines de dollars, ces terrains en vaudraient un jour plusieurs millions.

découvert
des fossiles d'animaux
préhistoriques et surtout
du goudron; aux alentours, beaucoup de pâturages;
enfin, à portée de flèche, un authentique campement
indien, qui semble n'attendre plus que les
caméras pour inaugurer l'ère des westerns.
Hollywood n'a alors d'hollywoodien que
le nom. En 1903, Hollywood acquiert le

La région de
Hollywood portait
le nom de *Frostless
Belt* (ceinture sans gel).
La vallée de Cahuenga
(nom indien du site),
où s'établirent les
premiers habitants,
était réputée pour son
ensoleillement et ses
récoltes abondantes.
Ci-contre, un groupe
de vendangeurs aux
environs de Pasadena,
en 1898. En page de
gauche, une vue
générale de Hollywood
en 1905, dont l'unique
hôtel offrait une salle
de bains par étage.

statut de ville. Ironie de l'histoire : l'un des premiers édits de la nouvelle municipalité interdit la construction de *nickleodeons*, ces locaux réputés mal famés où pour cinq *cents* (un *nickel*) on peut assister à une projection de cinéma.

La guerre des brevets

Parallèlement à la croissance tranquille de sa future capitale, le cinéma traverse à New York une phase tumultueuse de sa toute jeune histoire. On se dispute à coup de procès la paternité de l'invention de la caméra et du projecteur, de leurs principes de fonctionnement et du moindre perfectionnement technique. En 1908, la Motion Pictures Patents Company (M.P.P.C.), «le Trust»,

Il manque à la gloire de Thomas Edison d'avoir à lui seul inventé le cinéma. Sa contribution n'en fut pas moins décisive, puisqu'il eut l'idée de perforer la pellicule pour assurer son déroulement régulier grâce à une roue dentée. Pour protéger son projecteur, il alla jusqu'à revendiquer la propriété des perforations ! Sur le boîtier, on aperçoit la marque Edison.

dirigée par l'inventeur Thomas Edison et par Jeremiah Kennedy, représentant de la compagnie Biograph, dépose des brevets visant à confisquer toute possibilité de réaliser et de présenter des films hors de son contrôle. Les membres du Trust obtiennent ainsi de la part d'Eastman l'exclusivité de la vente de pellicule, tandis qu'ils imposent aux exploitants une

taxe de deux dollars par semaine pour l'utilisation du projecteur breveté. L'enjeu commercial est de taille. Très vite, de petites compagnies relèvent le défi et refusent de faire allégeance au Trust.

Carl Laemmle, le futur fondateur d'Universal, prend la tête de la résistance et lance les Indépendants à la conquête du marché. Les poursuites judiciaires dégénèrent vite en bataille rangée. Le Trust n'hésite pas à user des moyens les plus expéditifs pour dissuader les Indépendants frondeurs.

La grande invasion

Selon une légende tenace, l'installation des premières compagnies de production en Californie répondait

Juste avant la grande vague d'émigration des gens de cinéma vers la côte Ouest, en 1910, le studio d'Edison (ci-dessus) était l'un des mieux équipés.

principalement au souci des producteurs indépendants d'échapper aux tracasseries et aux envoyés musclés de la M.P.P.C. En réalité, les Indépendants n'étaient guère plus à l'abri sur la côte Ouest où l'irruption impromptue des détectives ou des hommes de main engagés par le Trust constituait une menace des plus préoccupantes. C'est donc dans un climat de western que les studios partent à la conquête… de l'Ouest.

Entre 1910 et 1915, tout en conservant leur siège administratif sur la côte Est, la plupart des compagnies se font construire des studios en Californie, et Hollywood ne tarde pas à apparaître comme le centre de gravité de cette nouvelle concentration géographique.

Plusieurs facteurs techniques et économiques peuvent expliquer l'émigration massive des gens de cinéma, toutes factions confondues. La douceur du climat d'abord. Elle permet de tourner même en hiver et de bénéficier d'une qualité de lumière admirable, grâce à laquelle on peut obtenir une netteté photographique et des arrière-plans magnifiques. Pour une industrie grande consommatrice d'espace, le prix encore peu élevé des terrains à bâtir est attractif, tout comme la présence d'une main-d'œuvre

La compagnie de Jesse L. Lasky (ci-dessus), berceau de la Paramount, fut l'une des premières à s'établir à Hollywood. On reconnaît au centre Jesse Lasky, l'ancien trompettiste passé au music-hall avant de se lancer dans l'aventure de la production, et, tout à fait à droite, Cecil B. DeMille, metteur en scène du premier long métrage jamais tourné à Hollywood, *Le Mari de l'Indienne* (1914). Le film remporta un tel succès que DeMille lui-même en fit un remake quatre ans plus tard.

abondante et meilleur marché qu'à New York, et l'inexistence provisoire des syndicats. Par ailleurs, l'étonnante bigarrure du paysage humain, la présence de communautés indiennes, mexicaines ou chinoises, autant que la proximité de paysages très variés – la mer et la montagne, la ville et le désert, décors naturels propices à presque tous les types de films –

incitent l'industrie du cinéma à s'établir sinon à Hollywood même, du moins dans ses proches environs. Les avantages consécutifs à la concentration en un périmètre restreint d'un nombre croissant de studios achèvent de renforcer la tendance.

Des arrière-cours aux premières ciné-cités

Au départ, les premières installations ne paient pas de mine et déparent quelque peu le paysage. Il suffit de quatre murs et d'une arrière-cour, souvent d'anciennes boutiques reconverties, pour monter une plate-forme et tendre une toile de vélum. Francis Boggs, de la Polyscope Selig Company, tourne dans la boutique d'un Chinois ; David Horsley transforme l'ancienne taverne de Cahuenga en studio de la Nestor ; Jesse Lasky rachète une grange qui donne sur Vine Street.

Cependant les nouvelles constructions sont bientôt à l'image des ambitions ou de l'imaginaire de leurs propriétaires. Le «colonel» Selig donne à son studio l'aspect d'une luxueuse mission espagnole, tandis que Thomas Harper Ince part fonder Inceville au débouché

Maître incontesté du western, Thomas Harper Ince, qu'on voit poser ici au volant de sa «belle américaine», entreprit de construire à Santa Monica un studio en plein air qu'il baptisa, en toute simplicité, Inceville. Toutes les baraques en bois, y compris le bungalow du patron, pouvaient à l'occasion servir de décor. Juchés au sommet du canyon, des cow-boys plus vrais que nature veillaient à la sécurité des installations. En 1917, Thomas Ince s'installa à Culver City, dans un studio dont la façade était la réplique... de la demeure de George Washington à Mount Vernon !

Des statues d'éléphants, œuvres d'un sculpteur italien, ornent l'entrée du Selig Jungle Zoo (page de gauche). L'aménagement de ce parc zoologique dura deux ans et coûta plus d'un million de dollars. Le transport des animaux, achetés pour la plupart à un cirque anglais en faillite, atteignit des sommes astronomiques. L'entretien du zoo finit de ruiner le «colonel» Selig, qui fut contraint de louer ses bêtes aux autres studios, sans parvenir pour autant à rentrer dans ses frais. Il fit don de son parc à la ville de Los Angeles.

du Santa Inez Canyon, face au Pacifique.

Mais le studio le plus impressionnant de l'ère des pionniers est sans conteste Universal City, véritable «cité du cinéma» édifiée par Carl Laemmle à quelques kilomètres au nord de Hollywood, sur le site historique

du ranch Taylor où avait été signé, au milieu du XIXᵉ siècle, le traité cédant la Californie aux Etats-Unis. En ces temps héroïques où la plupart des films ne dépassent guère une ou deux bobines, les compagnies se livrent une âpre concurrence pour séduire le public populaire.

Parmi les premiers arrivants, en janvier 1910, on trouve la troupe de David Wark Griffith, venue passer l'hiver à Los Angeles

De 1908 à 1913, à raison de deux courts métrages par semaine en moyenne, David Wark Griffith tourna plus de 400 films d'une ou deux bobines (il dirige ici *Death's Marathon*), dont une centaine en Californie. Pendant toutes ces années de fièvre créatrice, la Biograph Company fut son laboratoire. Devant le succès phénoménal de ses films, son contrat était amélioré chaque année, passant de 15 à 200 dollars par film, avec intéressement aux bénéfices.

La troupe de Griffith comptait les plus fameuses comédiennes du moment. Et toutes l'adulaient, des sœurs Gish à Mary Pickford, ou à Blanche Sweet (page de droite), qui déclarait : «Nous travaillions pour Griffith, pas pour Biograph Company. C'était à lui que nous voulions plaire. S'il venait nous voir à la fin d'une scène pour nous dire : "C'est bien", il ne nous en fallait pas plus. Rien qu'un petit salaire et son "C'est bien".»

pour le compte de la compagnie Biograph.
A peine installé dans un studio de fortune,
Griffith se met au travail avec autant
d'énergie que de génie. Il est secondé par un
opérateur de grand talent, Billy Bitzer, toujours
dans l'ombre du maître, et par des acteurs
fabuleux qui font leur classe à la Biograph avant
de suivre leur propre étoile, comme Mary
Pickford, Blanche Sweet, Mabel Normand…
Les films Griffith Biograph connaissent un
succès commercial considérable, mais
surtout ils révolutionnent en quelques
années l'écriture filmique et l'art du récit.

«Poor lonesome cowboys»

Les drames de l'Ouest, qui ne
s'appellent pas encore des westerns, sont dès
l'origine de Hollywood un filon
très couru. Le genre a ses
compagnies spécialisées,
comme la Bison, ses
maîtres, le plus illustre
étant le producteur Thomas
Harper Ince, et ses grandes
vedettes, tels Tom Mix, William
Hart ou encore Broncho Billy
Anderson, qui tourna en
sept ans 375 *Broncho
Billy*! A tel point qu'on
manqua vite de cow-
boys, d'autant plus que
les acteurs ne tenaient
pas toujours longtemps
en selle. C'est alors que
Raoul Walsh eut l'idée
d'en recruter parmi les
convoyeurs des parcs
à bestiaux de Los
Angeles. Pour cinq
dollars par jour, ceux-ci
trouvèrent un travail
sensiblement plus
lucratif que leur

A la Biograph,
Griffith avait
su s'entourer d'une
équipe technique
hautement qualifiée,
de l'accessoiriste
William Beaudine
à l'opérateur Billy
Bitzer (ci-dessus),
dont l'éclairage à
contre-jour émerveillait
la profession. On
chercherait cependant
en vain le nom d'un
scénariste, car le
maître avait les
scénarios rédigés en
horreur.

activité première. Bientôt, sur Sunset Boulevard, on rencontra des aspirants cow-boys prêts à attendre des jours entiers dans l'espoir de décrocher un petit rôle.

Les tournages de ces premiers films ne se limitent pas aux studios en plein air. Ils débordent dans les rues et les campagnes avoisinantes. Des voitures chargées de matériel partent en expédition dans les chemins de campagne des environs. En ville, les Hollywoodiens s'habituent non sans grogne à l'encombrement du trottoir par les équipes d'électriciens ou de

TOM MIX
WM. FOX STUDIO

maquilleurs, ainsi qu'à l'arrêt de la circulation le temps d'une prise sur le vif. Il est d'ailleurs fréquent qu'on emprunte chez l'habitant un élément de décor qui convient à la scène en cours de tournage. «Aussi longtemps que j'ai travaillé pour la Fine Arts de Griffith, raconte Raoul Walsh, je ne me souviens pas d'un seul accrochage avec les habitants. Evidemment, nous évitions de faire des courses d'obstacles à travers les cimetières, et, d'une façon générale, d'embêter les gens. Une fois qu'ils se furent habitués à voir une bande d'étrangers en pantalons et coiffés de casquettes posées de travers manœuvrer des caméras et hurler dans les mégaphones, nous fûmes à peu près acceptés, du moins professionnellement.»

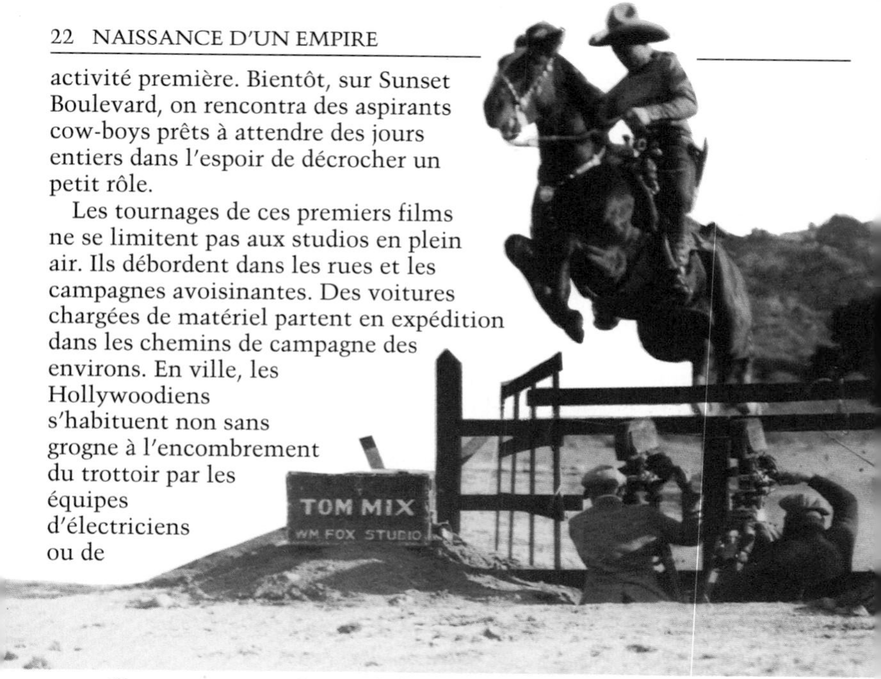

La comédie burlesque, ou «slapstick», s'impose comme l'une des plus brillantes réussites du cinéma muet

Formé par Griffith qui lui avait confié le secteur «comédie» de la Biograph, Mack Sennett fut engagé

Les «films de l'Ouest» des années dix avaient des airs de rodéo et comportaient invariablement leur lot de cascades et d'acrobaties, d'exploits physiques. Le bondissant Tom Mix (ci-dessus et à droite) était rompu à ce genre d'exercices. Par leur caractère exagéré et attendu, ses gesticulations et ses mimiques pouvaient produire des effets comiques, témoignant à merveille de l'alliance primitive du burlesque et du western.

par les producteurs indépendants
Kessel et Bauman pour fonder et
diriger la compagnie Keystone,
installée dans des baraques
minables du côté d'Edendale.
  C'est dans ce cadre des plus

modestes que Sennett tourne
des centaines de bandes
comiques dont il est
difficile d'imaginer
aujourd'hui l'immense
popularité. Courses-
poursuites,
pugilats,
claques dans
le dos,
grimaces

et acrobaties diverses sont les ingrédients obligés de ces chorégraphies clownesques. Une équipe de *gagmen* planche le plus sérieusement du monde pour mettre les rires en bobines.

Parmi tant d'autres, Frank Capra débute dans ce *brain trust* du burlesque. Toute une génération de grands comiques américains fait ses premières armes chez Sennett : Fred Macé, Chester Conklin, Ford Sterling, le gros Roscoe «Fatty» Arbuckle, Ben Turpin le loucheur et, *last but not least*, Charlie Chaplin, qui invente son personnage de Charlot en puisant dans la garde-robe de la Keystone.

Le triomphe est immédiat. Le Vagabond devient très vite la star la plus populaire des Etats-Unis. En moins de trois ans, sa renommée est universelle. En 1918, il s'installe dans son studio de La Brea, au cœur de Hollywood qu'il consacre par là-même capitale du cinéma.

"Les vieux burlesques ont quelque chose d'édénique dans leur esprit même. Comme aucun autre genre du premier cinéma, ils semblent tous avoir été créés à un moment de loisir, pendant quelques vacances imaginaires de l'homme et de l'histoire. [...] Mieux, les méthodes même qui présidaient à leur tournage témoignent aujourd'hui de tout un art de vivre oublié, où le travail pouvait coexister heureusement – constamment – avec le divertissement."
Petr Král,
Le Burlesque ou morale de la tarte à la crème, 1984

De nombreuses compagnies indépendantes, comme Century, Christie, Hal Roach Comedies, se spécialisent dans le *slapstick* qui, sans nécessiter un investissement très lourd, peut rapporter gros. Les petites comédies sont produites à un rythme soutenu (au total, environ une dizaine chaque semaine, 600 par an) et sont tournées à toute allure.

Le «star system» bouleverse en moins d'une décennie toutes les données de l'industrie du film

Jusqu'en 1910, le public ignorait le nom des vedettes de l'écran, à quelques exceptions près. Les directeurs des compagnies n'étaient guère enclins à révéler l'identité des comédiens, craignant de les voir arguer de leur popularité pour exiger des salaires comparables à ceux, mirobolants, des grands noms du théâtre. Pressées cependant par le courrier leur demandant le nom de leurs ravissantes *girls*, les compagnies comprennent vite l'intérêt du générique.

Florence Lawrence, la *Biograph girl* rachetée par l'I.M.P. de Carl Laemmle, ainsi que la *Vitagraph girl*, Florence Turner, sont les deux premières étoiles dûment identifiées. Elles sont vite rejointes au firmament du *box-office*, le *stardom*, par une pléiade d'artistes. Désormais, les compagnies vont s'arracher les vedettes pour des sommes de plus en plus vertigineuses.

Maître queux des tartes à la crème, Mack Sennett (page de gauche, en bas), formé pourtant à l'école de Griffith, déclenche des fous rires par milliers. Deux bandes de ses joyeux drilles atteignent des sommets de popularité : côté charme, les croquignolettes *Bathing Beauties*, ravissantes jeunes filles en maillots à rayures, dont les apparitions, gracieuses et gratuites, émoustillaient le monde entier; côté choc, la troupe impuissante des *Keystone Cops*, constamment dépassés par les événements, en proie à tous les renversements d'un ordre qui marche volontiers sens dessus dessous. A l'évidence, le *slapstick*, un peu épais mais délirant, correspondait au besoin de défoulement d'une société puritaine et par trop policée.

Le producteur Adolph Zukor est l'un des plus actifs promoteurs du *star system*. En 1912, engager des stars lui paraît le sésame de la réussite. Le franc succès de la distribution américaine de *La Reine Elizabeth*, dont la vedette était la grande Sarah Bernhardt, l'incite à recruter pour ses films des célébrités de la

«Nous avons bâti l'industrie cinématographique sur la star», aimait à répéter le fondateur de la Paramount. Juif hongrois émigré à New York à l'âge de seize ans, Adolph Zukor présida aux destinées

FAMOUS PLAYERS~LASKY CORPORATION
ADOLPH ZUKOR Pres. JESSE L. LASKY Vice Pres. CECIL B. DE MILLE Director General
NEW YORK

scène. Sa règle d'or est «*Famous Players in Famous Plays*», sur le modèle du «Film d'art» français (série Pathé qui adaptait

de sa compagnie pendant toute l'ère du muet, avant d'être relégué à un poste honorifique. Sa longévité ne fut pas que professionnelle, puisqu'il mourut à l'âge de cent deux ans.

WILLIAM FOX PRÉSENTE

THEDA BARA dans SALOMÉ

des chefs-d'œuvre de la littérature française en faisant venir au cinéma des comédiens de théâtre très connus). Mais la formule fait long feu, car les grands acteurs, habitués à déclamer sur les planches, ne sont pas forcément à leur aise devant une caméra qui n'enregistre pas encore les voix. En fait, ce sont les stars révélées par le cinéma lui-même, comme Mary Pickford, Douglas Fairbanks ou Charlie Chaplin,

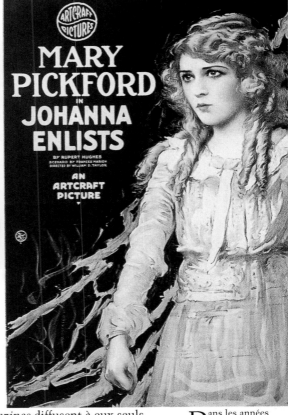

qui font exploser le *box-office*. Parallèlement, la presse spécialisée prend son essor : dès 1918, les six principaux *fan-magazines* diffusent à eux seuls 800 000 exemplaires. Le *Motion Picture Magazine*, qui publie régulièrement son «Hall of Fame», hit-parade des vedettes de l'écran réalisé auprès de ses lecteurs, passe de 249 000 exemplaires en 1918 à 400 000 l'année suivante.

Des longs métrages aux grosses machines

Zukor a prouvé que la présence de grandes vedettes à l'écran permet de capter l'attention du public pendant plus d'une heure, ouvrant ainsi la voie aux films de long métrage. Dès 1913, les films de quatre ou cinq

Dans les années dix, Hollywood classait les femmes en deux espèces complémentaires : la vamp, langoureuse brune aux yeux noirs et profonds, à l'image de Theda Bara, qui avait lancé le genre... et l'ingénue, incarnée idéalement par Mary Pickford, surnommée «la petite fiancée de l'Amérique».

bobines font leur apparition sur le marché, comme *Traffic in Souls (Commerce d'âmes)*, une production Universal. Jesse Lasky produit le premier long métrage tourné à Hollywood, *The Squaw Man (Le Mari de l'Indienne)*, mis en scène par Cecil Blount DeMille. Griffith lui-même, malgré les réticences des patrons de la Biograph, tourne son premier «quatre-bobines», *Judith of Bethulia*. Le succès de ces récits plus longs, donc plus sophistiqués, est tel qu'en moins de deux ans les longs métrages deviennent la norme. Pour la seule année 1917, Paramount sort près de 120 «grands films», plus de deux par semaine !

Pendant toute cette période, les coûts de production ne cessent d'augmenter. L'équipe technique s'étoffe, le matériel de prises de vues et d'éclairage se perfectionne, tandis que les costumes et les décors sont de plus en plus élaborés. Parallèlement, les salaires commencent à grever les budgets. Le coût moyen d'un film, passé de 1 500 dollars en 1910 pour une bobine à 20 000 dollars en 1915 pour quatre bobines, atteint 60 000 dollars par long métrage en 1920. Au fil de cette hausse continue, la concentration apparaît désormais comme la seule réponse viable au défi de la production.

Et Griffith inventa la superproduction

A peine le long métrage s'est-il imposé sur le marché du film qu'apparaissent les premières super-productions, films monstres de douze ou quatorze bobines qui

••Nous voulions des films plus longs, et Biograph rétorquait toujours que les gens perdraient patience devant des films plus longs. On ne pouvait pas soutenir l'intérêt du public. La direction refusait d'investir l'argent, et il fallut deux ou trois mois à Griffith pour les convaincre.••
Blanche Sweet

Aux films primitifs, bâtis pour la plupart sur des trucs ou des saynètes issues du vaudeville, Griffith (à gauche) substitua des récits plus ambitieux, à la continuité mieux assurée, n'hésitant pas à faire appel au théâtre ou au roman. Parmi ses autres innovations, le montage alterné, technique de base du suspense, ou encore le *happy end*, qui prenait souvent la forme d'un sauvetage du héros à la dernière minute. Griffith contribua également à imposer le long métrage à l'européenne. Grâce à son génie, le cinéma entra dans une nouvelle phase de son histoire.

introduisent dans le récit cinématographique le souffle de l'épopée. En 1915, *Naissance d'une Nation*, inspiré à Griffith par le *Cabiria* de Giovanni Pastrone, retrace un épisode de la guerre de Sécession et marque un tournant dans l'histoire du cinéma. En dépit de ses partis pris racistes à la gloire du Ku Klux Klan, ce chef-d'œuvre rencontre un accueil triomphal. Encouragé, Griffith double la mise l'année suivante avec *Intolérance*, dont les spectaculaires décors babyloniens coûtent une fortune, mais la structure du film déroute et l'échec commercial est conséquent.

A l'exemple de Griffith, d'autres cinéastes, comme Thomas Ince avec *Civilisation*, se lancent sur cette voie royale du film hollywoodien. Malgré les risques financiers inhérents à ce type de production, le cinéma à grand spectacle est né.

La Première Guerre mondiale rappelle subitement la cité des plaisirs et du rêve à la réalité

L'impact phénoménal du cinéma sur la société américaine ne se mesure pas seulement en termes

Cecil B. DeMille en 1917, l'année du tournage de sa première grande reconstitution historique, *Jeanne d'Arc*. Il est alors capitaine de l'armée américaine, et déjà le cinéaste le plus en vue de la Paramount, le seul, en vérité, à concurrencer les stars au *box-office*. On pressent à son air narquois qu'il contrôle son image et qu'il est parfaitement conscient des retombées publicitaires que pourrait occasionner ce document photographique.

Scènes du tournage d'*Intolérance*, sous la direction de D. W. Griffith. Tout ici est à l'échelle du décor, c'est-à-dire monumental : seize semaines de tournage, un budget de 400 000 dollars, 5 000 figurants, soixante seize heures de pellicule impressionnée, 14 bobines au montage final (plus de trois heures de projections)... Le décor du palais de Babylone mesurait 45 mètres de hauteur et le décorateur principal, Huck Workman, avait fabriqué une gigantesque tour à roulettes qui glissait sur des rails, poussée par 25 manœuvres.

BLACKTON SUPER PRODUCTION

"The Common Cause"

James Stuart Blackton, grand cinéaste de la Vitagraph, n'hésita pas à imaginer l'invasion des Etats-Unis par les troupes allemandes dans *The Battle-Cry of Peace*. L'entrée en guerre stimula ce genre de productions où les Allemands se distinguent avant tout par leur sauvagerie et leur cruauté.

de profits, mais également en termes d'arme idéologique. Au moment où les Etats-Unis s'engagent dans le conflit, Hollywood prend ses responsabilités. Les meilleurs se mobilisent : Ince réalise plusieurs films de guerre ; Griffith, présent à Londres au moment du lancement d'*Intolérance*, part sur le front pour y tourner *Cœurs du monde*, mélodrame auquel il intègre de nombreux plans documentaires ; Chaplin, qui vient de signer un contrat mirobolant avec la First National, tourne *Charlot soldat*, et Sennett, en 1919, ridiculise le Kaiser et sa cour dans *Yankee Doodle in Berlin*.

Cependant la guerre n'a pas modifié sensiblement les habitudes des Californiens. Et si le public se passionne pour les films de guerre, les professionnels du cinéma s'intéressent sans doute davantage à la bataille de l'exploitation. Adolph Zukor, pionnier du *star system* et du long métrage, est encore le premier à entreprendre

VITAGRAPH
ALBERT E. SMITH *Président*

Made In America

la complète transformation des salles de cinéma américaines. En 1916, il intègre à Famous Players, associée désormais avec Lasky, le circuit Paramount dont il va bientôt arborer le logo et le nom pour présenter ses productions. Dès lors, rien ne semble pouvoir l'arrêter, ni l'éphémère compagnie Triangle de Harry Aitken, ni le sursaut des exploitants de Chicago qui fondent la First National. Paramount ne se contente pas de proposer, comme le prétend son slogan, «un spectacle sans rival». Au lendemain du conflit mondial, Zukor domine les coulisses de l'écran. Avec lui, la première *Major Company* est née.

L a guerre terminée, *Charlot soldat* (1918) donne une satire poignante du quotidien dans les tranchées.

Au milieu des années vingt, la machine tourne à plein régime. Chaque jour, un cinquième de la population américaine va au cinéma. Chaque année, 240 000 kilomètres de pellicule sortent des studios : de quoi alimenter les 50 000 salles que compte déjà le monde. L'«art muet» est universel (il suffit à l'importateur de traduire les intertitres), et Hollywood en est le prophète.

CHAPITRE II
LES RUGISSANTES ANNÉES VINGT
(1919-1927)

En 1921, Rudolf Valentino triomphe dans *Le Sheik* et devient la coqueluche du public féminin. L'automobile règne : le paysage lui-même est aménagé pour être lu depuis la grand route, à l'image de cette fameuse enseigne Hollywoodland, érigée en 1923, l'année où l'on abat les eucalyptus sur Melrose Avenue.

La ville mirage

Le voyageur qui débarque à l'aube des années vingt à Hollywood, après une interminable traversée ferroviaire des Etats-Unis, croit arriver au bout du monde, au pays de l'imaginaire. Il découvre en fait une ville américaine comme les autres, mais en pleine croissance, champignon que les luttes entre studios contribuent à faire pousser sans cesse.

Les premiers lieux du mythe futur voient le jour, et focalisent la vie mondaine de Movieland : le Montmartre Café, premier night-club, où dansent Valentino et Pola Negri; le restaurant Musso & Franks; l'Egyptian Theater de Sid Grauman, où s'instaure le rituel de la «première» hollywoodienne, avec la présentation, en 1922, de *Robin des bois*, interprété par Douglas Fairbanks... Entre Sunset et Hollywood Boulevard,

••Hollywood, peu à peu, se transforme et prend l'aspect d'une grande ville [...]. Il [lui] manquait un cinéma de premier ordre. Sid Grauman, le roi des exploitants californiens, vient de le lui donner en construisant sur Hollywood Boulevard le magnifique théâtre égyptien [page de droite en haut].**••**

Robert Florey, 1926

Vine et Cahuenga, une géographie légendaire se met en place. Hollywood, que l'on surnommera bientôt le «quarante-neuvième Etat de l'Union», s'apprête à devenir ce que peu de villes ont réussi à être : une

Après le triomphal *Signe de Zorro* (Niblo, 1920), Douglas Fairbanks poursuit sa

chevauchée de justicier populaire, pour les beaux yeux de Lady Marian (Enid Bennet). Le tournage de *Robin des bois* dépasse même, par son gigantisme, celui d'*Intolérance*. Rompu aux scènes de masse, Allan Dwan dirigeait des équipes de plusieurs milliers de personnes grâce à un énorme mégaphone de son invention.

pure idée, un mythe. Mieux : un modèle de civilisation, l'un des nœuds de l'*american dream*, qui y sera en partie façonné. Combien de candidats à l'immigration, avant de débarquer à New York sur le quai d'Ellis Island, n'auront connu de l'Amérique que son image cinématographique, et apprendront l'américain grâce aux intertitres des mélodrames muets ? En moins de dix ans, aux yeux du monde entier, le mot «Hollywood» devient l'exact synonyme du mot cinéma.

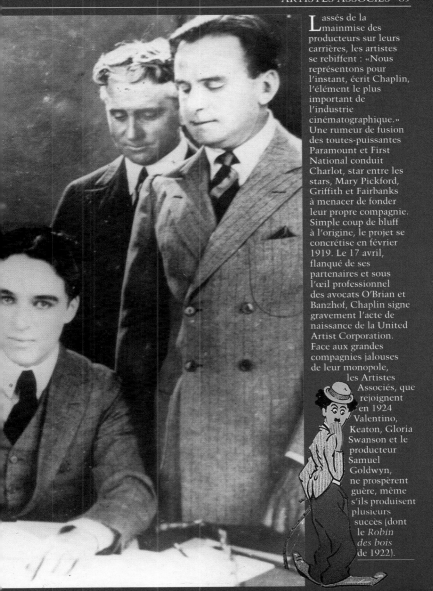

L assés de la mainmise des producteurs sur leurs carrières, les artistes se rebiffent : «Nous représentons pour l'instant, écrit Chaplin, l'élément le plus important de l'industrie cinématographique.» Une rumeur de fusion des toutes-puissantes Paramount et First National conduit Charlot, star entre les stars, Mary Pickford, Griffith et Fairbanks à menacer de fonder leur propre compagnie. Simple coup de bluff à l'origine, le projet se concrétise en février 1919. Le 17 avril, flanqué de ses partenaires et sous l'œil professionnel des avocats O'Brian et Banzhof, Chaplin signe gravement l'acte de naissance de la United Artist Corporation. Face aux grandes compagnies jalouses de leur monopole, les Artistes Associés, que rejoignent en 1924 Valentino, Keaton, Gloria Swanson et le producteur Samuel Goldwyn, ne prospèrent guère, même s'ils produisent plusieurs succès (dont le *Robin des bois* de 1922).

«Vivons une vie en deux heures», clament les annonces de la Paramount...

Au milieu des années vingt, le cinéma est le loisir le plus populaire aux Etats-Unis : près de 50 millions d'Américains fréquentent chaque semaine les quelque 20 000 salles de cinéma du pays. Il n'est pas rare qu'on y change le programme tous les jours. Partout à travers le monde, sur la lancée d'un conflit mondial qui a sensiblement affaibli la concurrence européenne, le cinéma hollywoodien tient le haut de l'affiche et conforte au fil de la décennie son impériale suprématie. «Si c'est un film Paramount, proclame aussi un slogan de la firme, c'est un spectacle sans rival.»

En vérité, cet état d'esprit reflète bien le tonus d'une industrie naissante. A l'instar du fabricant de munitions et chimiste Dupont de Nemours, qui investit dans la Goldwyn, les grandes firmes industrielles commencent à croire au *movie business*. Les coûts de production flambent et les gros budgets – des *Quatre Cavaliers de l'Apocalypse* (1921) à

Passées la caisse et sa délicieuse gardienne, l'imaginaire vient à la rencontre du public. La frontière entre réalité et fiction est ténue : le projectionniste que joue Keaton dans *Sherlock Junior* (1924) se retrouve, lors d'une séquence onirique, acteur du film qu'il projette.

La Caravane vers l'Ouest (1923), des *Folies de femmes* (1922) au *Voleur de Bagdad* (1924) – deviennent des éléments de promotion indispensables pour créer l'événement.

Main basse sur l'Europe

Tandis qu'à l'intérieur des Etats-Unis le cinéma connaît un premier âge d'or, la domination des productions hollywoodiennes sur le marché européen est insolente. Profitant de l'affaiblissement

Eric Von Stroheim pulvérise le budget de *Folies de femmes* (qu'il écrit, dirige et interprète) en dépassant la barre du million de dollars. Un an et demi de tournage, des dizaines d'heures de rushes, dans un Monte-Carlo surdimensionné construit à Universal City.

Peste, famine, guerre et mort : Rex Ingram convoque au *box-office Les Quatre Cavaliers de l'Apocalypse*, signant l'un des succès colossaux de la décennie. Cette histoire d'une riche famille argentine éclatée entre France et Allemagne a nécessité le tournage de seize heures de rushes… Le film lance définitivement l'ex-danseur de tango Rodolfo di Valentina, promptement rebaptisé Rudolph Valentino.

économique du vieux continent consécutif
au premier conflit mondial, les grandes
compagnies ont acheté une bonne moitié des
salles européennes. En 1925, les films
américains représentent près de 95 % des films
distribués en Angleterre et 70 % des films
diffusés en France… Les coûts de
production étant en général
amortis sur le
marché intérieur,
les profits
extérieurs sont
la source de
bénéfices
substantiels.

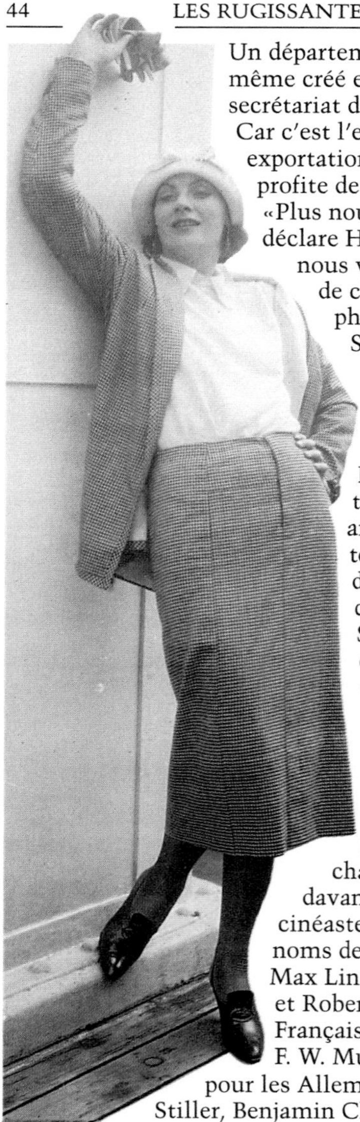

Un département de cinéma est même créé en 1926 au sein du secrétariat d'Etat au commerce. Car c'est l'ensemble des exportations américaines qui profite de cette situation : «Plus nous vendons de films, déclare Herbert Hoover, plus nous vendons de voitures, de chapeaux, de phonographes.»

Sur le plan artistique également, l'Europe souffre de la concurrence hollywoodienne. La suprématie technique des studios américains frappe tous les voyageurs de passage dans la capitale du cinéma. Surtout, pour les créateurs du monde entier, Hollywood devient un pôle d'attraction auquel il est difficile de résister. La liste des talents migrateurs s'allonge chaque année davantage. Côté cinéastes, on y relève les noms de Maurice Tourneur, Max Linder, Henri Chomette et Robert Florey pour les Français; d'Ernst Lubitsch, F. W. Murnau, E. A. Dupont pour les Allemands; de Mauritz Stiller, Benjamin Christensen et Victor Sjöström (rebaptisé «Seastrom») pour les Scandinaves… Et cette émigration s'étend aux

Les reporters suivent l'actrice suédoise Greta Garbo (de son vrai nom Gustafsson) sur le transatlantique qui la mène vers New York, en 1925, et la presse applaudit au parcours exemplaire de cette fille de journalier parvenue à Movieland. Révélée, aimée et façonnée par le réalisateur Mauritz Stiller qui la fit tourner dans *La Légende de Gosta Berling* (1924), puis consacrée par *La Rue sans joie* de Pabst (1925), elle accompagne l'homme auquel elle doit tout, et que Louis Mayer a engagé pour la M.G.M. Mais Stiller ne fera pas carrière; il décline tandis que grandit l'aura de Garbo, et meurt en 1928, de retour en Suède. Garbo deviendra dans les dernières années vingt la star par excellence, inaccessible et mystérieuse : la Divine.

stars (Pola Negri, Emil Jannings, Greta Garbo) ainsi qu'à l'ensemble des collaborateurs techniques ! Pour les Européens, il s'agit d'une véritable hémorragie ; pour Hollywood, d'une salutaire transfusion. L'art ne fait pas toujours si mauvais ménage avec l'argent.

Les stars au firmament

Découverte par un *talent scout* (les jeunes filles américaines ne rêvent qu'à ça) ou bien révélée par un concours de beauté, la future star est soumise à un véritable façonnage. Le studio commence par modifier son apparence physique, au prix parfois d'interventions chirurgicales ou de traitements de choc qui aboutissent à une véritable métamorphose. Bien plus, souvent rebaptisée, la potentielle déesse se voit dotée d'une « surpersonnalité », qui finit par prendre le pas sur la personne réelle, à tel point

Deux expériences européennes à Hollywood : celle du Français Maurice Tourneur, envoyé en 1914 par la firme Eclair, qui, en conflit avec ses producteurs, regagne la France en 1926 (ci-dessous, il dirige George Beban dans *La Folle Chimère*), et celle de l'Allemand Friedrich-Wilhelm Murnau (en haut, à gauche), l'auteur de *Nosferatu*, engagé par la Fox et qui meurt dans un accident de voiture en 1931, à Santa Barbara. Tous deux ont su, quelque temps, insuffler un air frais dans la routine hollywoodienne.

qu'une fois propulsée au sommet elle n'est plus même propriétaire de sa vie privée. Mary Pickford, par exemple, n'avait pas le droit de fumer en public.

La popularité des stars est le fondement de leur légitimité et de leur cotation en bourse. Les chiffres du *box-office* et les listes de préférences établies par les *fan-magazines* renseignent quotidiennement les studios sur le rayonnement de leurs étoiles. Le département du courrier mesure le volume des

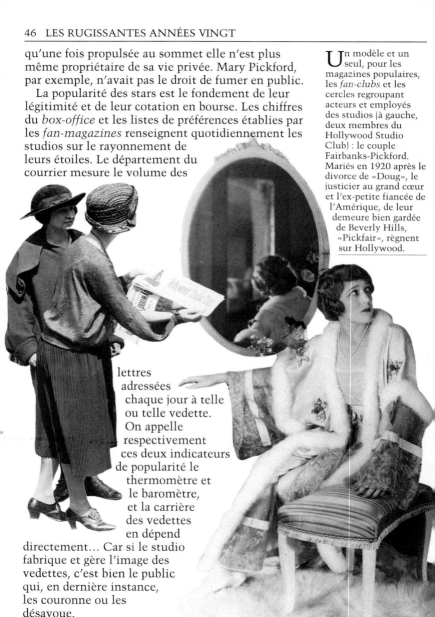

Un modèle et un seul, pour les magazines populaires, les *fan-clubs* et les cercles regroupant acteurs et employés des studios (à gauche, deux membres du Hollywood Studio Club) : le couple Fairbanks-Pickford. Mariés en 1920 après le divorce de «Doug», le justicier au grand cœur et l'ex-petite fiancée de l'Amérique, de leur demeure bien gardée de Beverly Hills, «Pickfair», règnent sur Hollywood.

lettres adressées chaque jour à telle ou telle vedette. On appelle respectivement ces deux indicateurs de popularité le thermomètre et le baromètre, et la carrière des vedettes en dépend directement… Car si le studio fabrique et gère l'image des vedettes, c'est bien le public qui, en dernière instance, les couronne ou les désavoue.

Picked for Glory by the Talent

Scandales et eau de rose à la Une des journaux

La presse est à l'affût des stars, dont la renommée et la visibilité

sociale sont une source intarissable de copies. On annonce la mort, vite démentie, de telle ou telle vedette, sa présence en un point du globe ou ses nouvelles amours supposées…
A Hollywood, le papier journal fleure l'eau de rose, et les agences de publicité des grands studios croient orchestrer cet univers du potin mondialisé.

Bebe Daniels is a girl upon whom most directors look with puzzled anticipation. William DeMille says some day Bebe is going to get suddenly interested and simply tear the cover off the ball

La presse, qui cultive l'illusion de faire et de casser les stars, prend des paris sur leur avenir. Un article du *Motion Pictures Magazine*, en 1923, évoque les étoiles révélées par «*the Talent*», c'est-à-dire par la profession : Bebe Daniels ainsi (ci-contre), poulain du clan DeMille, émarge à la Paramount depuis 1919. Mais l'appel de la gloire se fait sentir bien au-delà des murs des studios : les magazines publient avec régularité des listes d'indispensables recommandations aux étoiles virtuelles. Les ligues de vertu, au contraire, multiplient les mises en garde contre le miroir aux alouettes du cinéma.

Si Griffith dénonçait les censeurs et autres garants de la morale filmique (il publie le dessin à gauche), la profession, contre les risques de censure anarchique, trouve dans le Code Hays un raisonnable *modus vivendi* : s'imposer à soi-même des règles de moralité, c'est éviter que d'autres ne s'en mêlent...

Mais les compagnies sont dépassées par l'ampleur des scandales qui agitent alors Filmland. Drogue et alcool y occupent les premiers rôles, comme dans l'affaire Wallace Reid – l'une des plus troubles –, qui, en 1923, défraie les gazettes. Stupre, orgies, meurtres et suicides mystérieux, tout est bon pour les manchettes. Le populaire Fatty, star du burlesque, est sacrifié sur l'autel de la moralité. Désormais, une part de la légende hollywoodienne se joue dans les salles d'audience des tribunaux et à la Une des journaux ; une littérature spécialisée fait son miel des plus sordides scandales de la nouvelle Babylone.

«Monsieur Propre» fait le ménage

L'Amérique traditionaliste et puritaine se réveille : c'est l'époque où la prohibition assèche plus d'un gosier, et où l'on traîne en justice les partisans du darwinisme. Frappé de plein fouet par les scandales des années vingt, menacé de boycott

par la Ligue de la décence et les Eglises, Hollywood veut se racheter une respectabilité.

En 1922, la profession crée la *Motion Pictures Producers and Distributors of America*, et en confie la direction à William H. Hays, surnommé «the Czar of all the rushes», le tsar de tous les rushes, ou plus simplement «Mr Clean». Sa mission : moraliser les écrans, dont les turpitudes inquiètent les ligues de vertu. Confronté, à l'échelle fédérale, à un vide juridique patent en matière de censure, Hays préconise l'adoption d'un code de bonne conduite qui devra être respecté par les producteurs.

En 1927, une première liste complète de recommandations (les «*Don'ts and Be Carefuls*») voit le jour. Trois ans plus tard, la M.P.P.D.A. adopte le Code de production Hays, manuel d'autocensure destiné à la profession. Après trois principes généraux («Nul film ne doit être produit qui abaisserait le niveau moral de ceux qui le voient», «On présentera des standards de vie corrects», «La Loi, humaine ou divine, ne devra jamais être ridiculisée»), le Code énumère les thèmes, scènes et dialogues prohibés, du blasphème au viol, des amours interraciales aux atteintes au drapeau américain. A partir de 1934, les contrevenants à ce code de la pudeur sont passibles d'une amende de 25 000 dollars. Mais scénaristes et réalisateurs, avec un peu d'entraînement, apprennent vite à en détourner les interdits.

Announcing Another Screen Edition of "The Christian"

Conscients de la nature disparate de leur public, les producteurs ont toujours su faire la part des choses, donnant tour à tour dans l'exaltation des sujets religieux (*Le Chrétien*, Maurice Tourneur, 1923) et dans un érotisme parfois torride, dont la pulpeuse Clara Bow (ci-contre), futur modèle de Betty Boop, est l'un des porte-drapeaux les plus éloquents.

La trouble et troublante Gloria Swanson (page de gauche), héroïne en 1928 de *Sadie Thompson*, partage, à égalité avec Clara Bow, les palmes de l'immoralité. Elégante, sulfureuse et débraillée, cette maîtresse de Jeremiah Kennedy a, par ses intrigues, naufragé bien des cœurs et brisé des carrières.

Roscoe Arbuckle, plus connu sous le nom de Fatty, fut l'un des plus grands burlesques du muet. Ses 142 kilos ne l'empêchèrent ni de séduire Mabel Normand ni de jouer les acrobates avec son ami Buster Keaton. Mais en 1921, Fatty est traîné en justice, accusé d'avoir violé et assassiné au cours d'une soirée particulièrement arrosée la jeune Virginia Rappe. Poursuivi pour homicide involontaire puis acquitté, Fatty ne se remettra pas de cet épisode. Sa compagnie, la Paramount, le met à l'index. Il ne pourra plus jouer mais seulement, et sous pseudonyme, réaliser des films.

La morale est sauve, mais les caisses sont vides

Les films à gros budgets ont sérieusement entamé le crédit des studios auprès des banques et l'argent tarde à remonter. Le prestige des stars s'émousse et la sophistication de l'art muet commence à lasser le public. La sanction du marché est radicale : en octobre 1923, l'industrie du film doit entrer en hibernation dans l'attente de jours meilleurs.

L'hiver passe, la crise s'installe, et avec elle l'angoisse du chômage technique. Confrontée à la récession du marché, l'industrie ne peut guère se bercer d'illusions ; l'Amérique tombe en panne de rêves. A tel point qu'en mai 1924, dans *Cinémagazine*, le Français Robert Florey n'hésite pas à intituler sa chronique, déjà, «La Fin de Hollywood» : «Hollywood, prédit-il, qui fut jusqu'à ce jour le grand centre cinématographique californien, deviendra bientôt le grand centre de l'industrie des pétroles et de l'huile !» Si cette inquiétude peut rétrospectivement faire sourire, elle n'en révèle pas moins un climat sans précédent dans la jeune histoire des studios.

D'autres facteurs, plus conjoncturels, viennent aggraver la crise. Les intempéries d'abord : des pluies diluviennes empêchent, au printemps, les tournages en extérieur. Une catastrophe n'arrivant jamais seule, les ménageries d'Universal City et de Selig doivent faire face à une épidémie de fièvre aphteuse qui décime les animaux ! Chevaux, bœufs et moutons sont abattus par milliers... Il devient ardu, si ce n'est impossible, de tourner un western digne de ce nom dans de telles conditions.

C'est alors que le lion rugit

Au regard de l'ascension calculée de la Paramount, l'apparition plus tardive de la M.G.M., au milieu des années vingt, produit l'effet d'un coup de tonnerre. Le maître d'œuvre de ce nouvel empire, Marcus Loew, n'est pourtant pas un inconnu dans la profession : il se trouve à la tête d'un gigantesque circuit de salles où les spectacles de music-hall sont mieux accueillis que les projections de cinéma. Mais au lendemain du

«**W**hy worry ?», demande en 1923 le burlesque et lunatique Harold Lloyd, star du loufoque. La crise, éphémère, des studios, apparaît rétrospectivement comme une crise de croissance de l'industrie, à la veille de l'ère des regroupements et des

grandes manœuvres financières. Les géants de l'industrie américaine ne tardent guère à prendre position dans le premier *business* du loisir.

●●Buster Keaton porte un nom différent dans chaque pays : au Siam, Konfreto ; à Libéria, Kazunk ; en Tchécoslovaquie, Prysmysleno ; en Espagne, Zephonio ; en France, Malec ; en Islande, Glo-Glo. C'est l'homme qui ne rit jamais.**●●**
    Ilya Ehrenbourg, *Usine de rêves*, 1939

conflit mondial, alors que l'Amérique a conquis les écrans du monde entier, Loew, à l'exemple de son ancien associé Adolph Zukor, se lance dans la productions de films. En 1920, il absorbe la Metro Pictures et en est récompensé par le succès colossal des *Quatre*

Cavaliers de l'Apocalypse. Ce film consacre une nouvelle star, Rudolf Valentino, auquel la Metro refuse une augmentation de... 100 dollars, provoquant son départ pour la Paramount! Loew prend également sous contrat Jackie Coogan, l'enfant prodige du *Kid*, et distribue les films de Buster Keaton.

Star mondiale et génie comique, l'acteur à la triste figure sera pris sous contrat par la M.G.M. à partir de *L'Opérateur* (1928), où il retrouve, quatre ans après son rôle de projectionniste dans *Sherlock Junior* (ci-dessous), l'autre côté de l'objectif.

La mort de Rudolph Valentino, en 1926, suscite une hystérie collective jamais vue auparavant pour un héros de celluloïd, et des suicides en série. Prince d'Hollywood, le bel Italien (de son vrai nom Guglielmi), saisi en pleine gloire, à trente et un ans, par la mort, venait de tourner dans *Le Fils du Cheik* (en bas), avatar de son triomphal rôle dans *Le Cheik* (1921). La presse s'était emparée *du* star (on trouve encore le mot au masculin), extrapolant sur sa vie amoureuse (un procès en bigamie, en particulier, défraya la chronique). Marié à Natacha Rambova (actrice qui n'a de russe que le nom, mais dont le prénom d'origine, Winifred, était bien peu cinégénique), avec qui il partage la une de maints *fan-magazines*, le beau Rudolf est préposé aux rôles d'amant torride (en haut, *Monsieur Beaucaire*, 1924 ; au centre, *Les Quatre Cavaliers de l'Apocalypse*).

Mae Murray

Vient alors l'étape décisive, en 1924, avec le rachat du studio Goldwyn et de la compagnie de Louis B. Mayer, qui apporte dans ses bagages le génial Irving Thalberg, âgé seulement de vingt-quatre ans. Tout ce petit monde part s'installer sur le terrain de la Goldwyn, à Culver City. L'ère de la Metro-Goldwyn-Mayer peut commencer.

Les premiers rugissements du lion sont certes silencieux, mais ils n'en sont pas moins fracassants. *La Grande Parade* de King Vidor émeut le monde entier tandis que le *Ben-Hur* de Niblo, la plus grosse superproduction du cinéma muet, suscite un engouement à la hauteur de son spectacle (bien que le coût titanesque du tournage à Rome ne fasse pas du film une si bonne affaire). On ne saurait rêver entrée en matière plus éclatante. Si la Paramount accumule les salles, la M.G.M. collectionne les stars. Elle les révère, elle les révèle. L'ascension de Garbo est fulgurante et le couple qu'elle forme avec John Gilbert, au cinéma comme dans la vie, prend la relève du duo Pickford-Fairbanks dans la légende hollywoodienne.

Produire, disent-ils

Pour maîtriser la croissance fulgurante de l'industrie du film, les principaux studios (Paramount, First National, M.G.M., Fox, Universal, Warner Bros) rationalisent au maximum l'organisation du travail, confiant à chaque département une tâche spécifique. Inaugurée par Thomas Ince, adoptée par Mack Sennett qui tournait à une cadence proprement burlesque, la méthode avait fait ses preuves. Chez

Universal, le souci de productivité fut poussé à un degré tel que le studio en avait gagné le surnom bien prosaïque de «fabrique à saucisses». Grâce à la division du travail, le

film est standardisé, le tournage planifié et la fabrication de part en part contrôlée par les directeurs de production, qui prennent là une belle revanche sur les velléités d'indépendance des stars.

Il y a bien parfois quelques ratés dans la machine. Il arrive que la mise en chaîne triomphe de la mise en scène.

Les «moguls» au pouvoir

Le directeur de production a tout pouvoir pour imposer au metteur en scène non seulement le sujet du film, mais également l'équipe technique, jusqu'au *casting*. Cette prise de pouvoir de ceux qu'on ne tarde pas à appeler les *moguls* (du nom des tyrans qui sévirent en Inde entre 1526 et 1858) engendre de vives tensions entre les administrateurs des studios

Même King Vidor dut raccourcir son chef-d'œuvre *La Grande Parade*, afin de permettre aux habitants des banlieues d'attraper le dernier train. il coupa par ailleurs la scène d'adieux où l'on voit Renée Adorée étreindre la jambe de John Gilbert, car la salle éclatait de rire au moment où l'héroïne posait tendrement la joue contre les bandes molletières de son amoureux. Contrairement aux habitudes fustigées par la caricature ci-dessus (parue dans un journal professionnel en 1923), le scénario original de Laurence Stallings fut louangé et n'eut pas à subir les outrages interventionnistes de la chaîne de fabrication. Il évoquait les amours d'une jeune paysanne française et d'un soldat américain pendant la Première Guerre mondiale. En page de gauche, d'autres étoiles de la galaxie M.G.M. : la provocante Mae Murray et Ramon Novarro, le *latin lover*.

et les créateurs. Les conflits entre artistes insoumis et producteurs intraitables sont retentissants, voire légendaires. Thalberg supprime les deux tiers des cinq heures de *Folies de femmes* (Universal, 1922) puis licencie Stroheim au beau milieu du tournage de *Merry-Go-Round* pour dépassement incontrôlé du budget de production. Quelques années passent et les deux ennemis se retrouvent aux prises à la M.G.M.; cette fois, Thalberg réduit le chef-d'œuvre de Stroheim, *Les Rapaces*, de quarante-deux à dix bobines… Louis B. Mayer se dispute avec Rex Ingram et, au grand dam du metteur en scène Marshall Neilan, change en *happy end* la fin dramatique de *Tess of the d'Ubervilles*. Parmi les victimes du système, on compte des cinéastes aussi talentueux que Maurice Tourneur, Joseph von Sternberg ou Mauritz Stiller. Trop souvent, l'argent a raison du talent. «Les metteurs en scène américains, note à cette époque Robert Florey, sont des artisans de la "routine". […] On trouve des metteurs en scène qui, après avoir fait deux cents mauvais films, sortent un jour, par hasard, une bonne bande et sont sacrés "grands directeurs". Le bon film les lance, ils signent un contrat avec une maison de premier ordre et recommencent à tourner des navets.»

Derniers feux du muet

Le cinéma est plus qu'un spectacle, c'est une magie. Les éclairages, les décors, les prises de vues sont de plus en plus sophistiqués. La pellicule panchromatique remplace l'orthochromatique, améliorant la qualité de l'image. Neuf films sur dix, du reste, sont teintés, donnant l'illusion de la couleur. Le spectateur est encore sourd ? Qu'à cela ne tienne, l'accompagnement musical est de règle, et les sons sont exprimés par d'ingénieuses trouvailles visuelles... Grâce notamment à Chaplin, Keaton, Lloyd, Laurel et Hardy, Griffith, Murnau, Sternberg, Lubitsch, Vidor, Stroheim, Seastrom, la période est riche en chefs-d'œuvre. Jamais les caméras n'ont été aussi agiles, suspendues aux biplans de *Wings* (Wellman), suivant au galop le char de *Ben-Hur* (Niblo), décrivant des courbes majestueuses dans *L'Aurore* de Murnau.

L'«art muet» est à son apogée et les cinéphiles sont au paradis. Force est pourtant d'ajouter que le grand public est un peu las de ces recherches formelles et que le raffinement ne paie guère. Murée dans son silence, l'industrie doit innover d'urgence pour franchir le mur du son.

D'abord engagé, dès 1914 dans des rôles d'officier allemand et de «sale gueule», Eric von Stroheim demeure, dans la légende, le grand perdant du système, martyr du *movie business*. Sa brouille avec Gloria Swanson, qui l'avait sollicité pour *Queen Kelly* (1926), est d'une certaine manière le symbole de la fin des gloires muettes.

Ramon Novarro, le temps d'une photo de promotion, troque son char contre l'un des bulldozers qui dessinent la piste du cirque de *Ben-Hur* (1926). Avec les ballets aériens de *Wings* (*Les Ailes*, 1929), évocation tragi-comique des as de 1914-1918, la séquence de la course de chars montre le cinéma muet à l'apogée de ses moyens, les caisses des studios dussent-elles en souffrir.

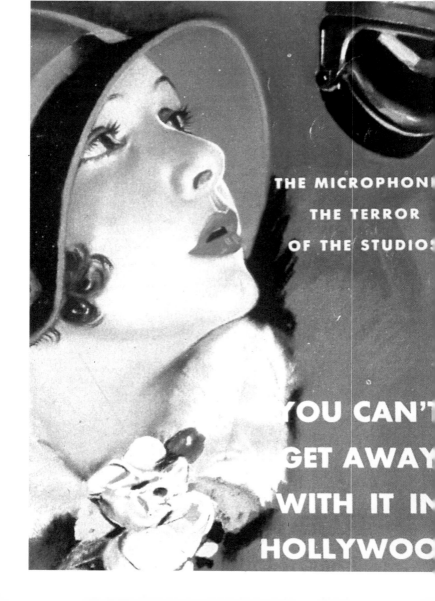

THE MICROPHONE
THE TERROR
OF THE STUDIOS

YOU CAN'T
GET AWAY
WITH IT IN
HOLLYWOOD

Le temps du «Silence, on tourne» est venu : au terme de la révolution du parlant, les cartes de la production sont redistribuées, et Hollywood connaît son âge d'or. En 1936, un ménage américain va en moyenne près de trois fois par semaine au cinéma. L'envers du décor dément toutefois cette légende dorée : tout au long des années trente, les conflits syndicaux déchirent la profession.

CHAPITRE III

L'ÂGE CLASSIQUE DU «STUDIO SYSTEM» (1927-1939)

Avec son accent de Brooklyn à couper au couteau, Clara Bow n'a aucun mal, dans *The Wild Party* (1929), à séduire son beau professeur (Fredric March). L'Amérique tout entière succombe avec enthousiasme aux sirènes de Hollywood, où rien ne saurait plus se faire sans un micro.

«And the winner is...»

C'est vers 1926 qui naît chez le tout-puissant Louis B. Mayer l'idée d'une académie des arts cinématographiques rassemblant l'élite de la profession. Après un mémorable dîner réunissant autour de Mayer, le 27 janvier 1927, trois douzaines de réalisateurs et d'acteurs, l'A.M.P.A.S. (Academy of Motion Picture Arts and Sciences) est portée sur les fonds baptismaux. La toute nouvelle association entend «promouvoir harmonie et solidarité parmi ses membres et entre les différentes branches» de la profession (une manière de faire taire les syndicats), «accroître le pouvoir et l'influence de l'écran» et faire barrage, dans un assaut d'honorabilité, aux accusations morales portées contre Hollywood.

Le premier président de l'Académie, Douglas Fairbanks, annonce en mai de la même année l'une des missions de cette association interprofessionnelle : la remise annuelle des célèbres *Awards* qui font, depuis, trembler Hollywood à date fixe.

Recrutés par cooptation, les membres de l'Académie (270 en 1929, 1 200 en 1932) élisent, après le premier tour des nominations, les films, acteurs et réalisateurs qui bénéficieront de l'honneur de ce «prix Nobel du cinéma». Hollywood enfin a sa grand-messe, réponse à la crise et aux mutations, et dont le rituel s'affinera d'année en année, souvent imité, jamais égalé.

Une révolution attendue, technique, esthétique et commerciale à la fois : le passage au parlant

Si le cinéma cherchait ses mots pratiquement depuis sa naissance, ce n'est que vers 1925 qu'il cesse, souvent à la plus grande colère de ses premiers esthètes, d'être l'«art muet» qui tirait

Très émue, Mary Pickford reçoit l'oscar de la meilleure actrice pour l'année 1929 des mains de William DeMille : «J'ai oublié le discours que j'avais préparé», balbutie-t-elle.

sa richesse des seuls éléments visuels et de son rythme. L'avènement du parlant est le fruit d'une guerre technologique, menée par les géants de la communication américaine. Mais il correspond aussi, pour le cinéma, à une nécessité économique : de plus en plus concurrencé par l'auto et la radio, le septième art doit, pour continuer à croître, frapper fort en direction du public le plus large.

C'est la Warner Bros, compagnie de faible poids, qui, associée à l'American Telephone and Telegraph, lance le mouvement, et se hisse par là même au rang des *majors*. Deux étapes essentielles marquent cette révolution rapide : la présentation, en 1926, du *Don Juan* de Crosland, opéra filmé qui utilise un procédé d'enregistrement sur disque et nécessite un phonographe couplé au projecteur, le Vitaphone, et la sortie, en octobre 1927, du mémorable

Chanteur de jazz, avec Al Jolson, où, pour la première fois, grâce au même procédé, on peut enfin entendre parler un héros de cinéma.

A l'intérieur de cette caméra sonore, une écorce de caoutchouc et d'amiante atténue les parasites.

Le triomphe des actualités sonores

Le succès est immédiat. Malgré des réticences initiales, les principales compagnies se jettent dans l'aventure : l'enjeu est de taille, puisqu'il faut équiper de neuf à la fois studios et salles.

Parallèlement, la compagnie de William Fox se distingue elle aussi par ses expérimentations dans le domaine du son. Ce sont les bandes d'actualités qui vont permettre à ce studio de taille moyenne de prendre place parmi les plus grands. Le 20 mai 1927, à huit heures du matin, les opérateurs de la compagnie enregistrent le décollage de Charles Lindbergh pour Paris; le soir même, Fox Movietone News en présente le film sonore au Roxy, devant plus de 6 000 spectateurs. A l'issue de la projection, le public ovationne la performance technologique de la Fox... autant que l'exploit de l'aviateur! Stimulée par

ce triomphe, la Fox envoie des opérateurs dans le monde entier. Défilés de mode, événements sportifs, discours des personnalités politiques, rien n'échappe désormais à la curiosité des bandes d'actualités. La vogue des journaux filmés est lancée et se traduit, le 28 août 1928, par l'ouverture de Movietone City à Westwood, où d'imposantes installations sont consacrées au *newsreel* parlant.

«Silence, on tourne»

Dès 1928, Hollywood maîtrise en effet le procédé de son optique Movietone, conçu par la General Electric, plus efficace que le Vitaphone, qui supposait un synchronisme parfait de l'image et du disque. Les studios sont réaménagés pour permettre l'utilisation d'un matériel au départ fort encombrant. Les énormes caméras, enfermées dans de lourds caissons insonorisés pour éviter que les micros ne captent leur ronronnement, ne favorisent en rien les mouvements et semblent pour un temps devoir figer le cinéma dans une forme fruste de théâtre filmé.

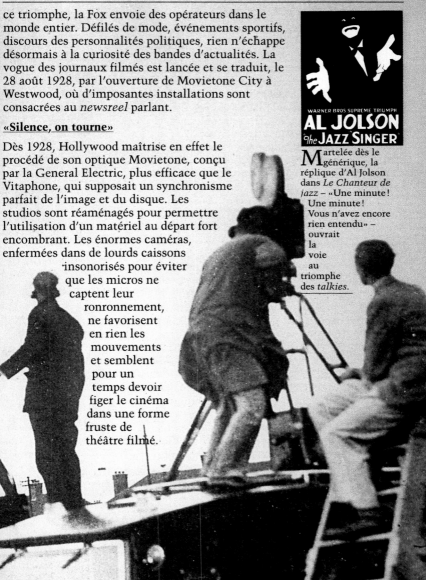

WARNER BROS SUPREME TRIUMPH

AL JOLSON
the **JAZZ SINGER**

Martelée dès le générique, la réplique d'Al Jolson dans *Le Chanteur de jazz* – «Une minute! Une minute! Vous n'avez encore rien entendu» – ouvrait la voie au triomphe des *talkies*.

Quant aux micros, à faible portée encore, il faut les dissimuler dans les éléments du décor, bouquets de fleurs ou tentures.

«Pendant le tournage d'un film muet, il ne venait pas à l'idée des ouvriers sur le plateau voisin d'arrêter un moment de manier le marteau ou la scie. Le metteur en scène criait ses directives dans un mégaphone», se souvient Capra, témoin de ces temps de rôdage. Désormais, «un toussottement ou un borborygme intempestif suffisaient à gâcher une scène. Ce fut comme si on était passé sans transition d'une place dans les gradins d'un stade de base-ball à un match de tennis à Wimbledon». Le temps du «Silence, on tourne» est venu. Il ne faut cependant guère plus de deux ans pour que le matériel se simplifie et se miniaturise, offrant à nouveau la mobilité perdue.

Certaines stars en restent muettes

Du côté des stars, c'est aussi la reconversion : que faire de l'accent de Garbo, de Pola Negri ou de Conrad Veidt, du timbre hésitant de telle ou telle divinité muette ? Les historiens du cinéma évoquent volontiers le sort de divas du muet jetées à la rue pour un accent étranger trop marqué ou une diction trop imparfaite, ou les aléas subis par les orchestres de plateaux (qui rythmaient la prise de vue), désormais au chômage.

Hollywood se met à recruter du côté du music-hall et du théâtre de boulevard, renouvelant en partie ses sources d'inspiration : Broadway, pour un temps, domine totalement le cinéma. «Ajouter du son au cinéma, aurait prophétisé Mary Pickford, serait comme mettre du rouge à lèvres à la Vénus de Milo»... Le dernier, dans un héroïsme têtu, Chaplin résiste au parlant, mais son cas reste unique : dès 1930 et après une courte période transitoire de films sonorisés ou semi-parlants, Hollywood a entièrement et définitivement basculé dans le règne des *talkies*.

Aux films de Charlie Chaplin, la parole n'eût rien ajouté. Son père et sa mère étaient chanteurs; lui persista dans le muet.

La grande dépression frappe tardivement l'industrie cinématographique

«Le cinéma était le moyen de distraction le moins cher – et pour beaucoup le seul, assure Frank Capra. De plus, pour les chômeurs transis qui arpentaient les rues, la salle de cinéma

La carrière de la Divine rebondit. «Garbo Talks», le slogan lancé par la M.G.M. pour la sortie d'*Anna Christie* (1930), marque la reconversion réussie de la star suédoise au parlant après une longue hésitation. C'est Clarence Brown, son metteur en scène attitré, qui lui fait passer, sous un microphone encore encombrant, le mur du son. Le public découvre l'accent nordique et la voix grave et modulée de Garbo. Et il en redemande.

Americans Beaten In Foreign Field
But Europe Doesn't Know It

A ses débuts, le
parlant sembl
remettre en quest
l'hégémonie du fil
américain en Euro

était le seul endroit où ils pouvaient se reposer et se réchauffer. Les cinémas permanents étaient remplis de dormeurs sans foyer.» La fréquentation des salles reste donc stable en 1929 et 1930, au début de la crise, et la bonne santé relative de Hollywood favorise encore les investissements.

Ce n'est que durant les années suivantes que Movieland marque le pas : en 1932, la Paramount affiche un déficit de 21 millions de dollars, alors qu'à peine deux ans plus tôt elle dégageait 18 millions de bénéfices. La même année les compagnies, dans leur ensemble, perdent plus de 55 millions de dollars (elles en gagnaient 52 en 1930). Hollywood relève le défi, non sans douleurs : le moratoire bancaire de mars 1933 (l'ensemble du réseau bancaire est fermé aux retraits) entraîne un projet de compressions de personnel et de salaires drastiques.

La terre tremble

Les auteurs, acteurs et techniciens, contournant l'Academy of Motion Pictures, organisation intercatégorielle manifestement sous la coupe des *moguls*, s'organisent et luttent pied à pied : l'un des plus grands conflits sociaux de l'usine à rêves éclate. Les syndicats menacent, et les producteurs, en retour, organisent une journée morte : le 13 mars 1933, tous les tournages sont arrêtés pour vingt-quatre heures. Les *majors* renoncent à leur plan d'austérité, non sans casse, après une houleuse séance de négociations au dernier étage de l'hôtel Roosevelt. Pour ajouter à l'esprit général de fin d'un monde, une secousse sismique fait le même jour trembler Hollywood : la confiance dans le cinéma a pour un temps disparu, de même que la confiance que les Américains vouaient au dieu dollar.

Le renouveau viendra d'une emphase dans la fantaisie, mais aussi de l'apparition d'un cinéma «idéaliste», à hauteur d'homme. Comédies musicales et films de série déclinent un optimisme sans faille : «Nous nageons dans l'argent», clamaient déjà en substance les danseuses de *Gold Diggers of 1933*, et

Pas d'intrigue, mais une pléiade d'étoiles chantantes et dansantes, pour *The Hollywood Revue* (ci-dessus) de Charles Reisner, succès colossal de 1929. Grâce à Busby Berkeley, les comédies musicales de la Warner, comme *42ᵉ Rue* ou *Les Chercheuses d'or de 1933*, sont le meilleur antidote à la Grande Dépression.

Howard Dietz, chef de publicité à la M.G.M, était le co-scénariste du film *Hollywood Party*, véhicule idéal pour les *girls* de la maison.

les histoires de milliardaires d'un jour et d'ascensions sociales fulgurantes se multiplient. Plus que jamais, le cinéma est un refuge. Simultanément, Vidor, Borzage et Ford tournent leurs caméras vers le quotidien, vers la misère parfois. Un ton inédit apparaît : celui des comédies sociales d'un Capra, dédiées à l'excellence de l'Américain moyen. Secteur phare, miroir et vitrine mondiale de l'Amérique, ce cinéma nouveau (et, entre toutes, les bandes de la Warner) s'engage dans l'esprit du *New Deal* rooseveltien.

«Terre d'un millier de rêves, tombeau d'un millier d'espoirs»

Hollywood se nourrit de son propre imaginaire, et devient plus que jamais, et la crise aidant, le dernier eldorado de la société américaine : on s'y rue et, fait sociologique nouveau, les femmes sont du voyage.

Face à ce raz-de-marée, de nombreuses publications tentent, à l'opposé, de dissuader les candidats au voyage. Ne cédez pas aux sirènes de la «nouvelle Babylone», clame par exemple, statistiques à l'appui, une brochure publiée en 1928 sous le titre *Hollywood, terre d'un millier de rêves, tombeau d'un millier d'espoirs* : en cinq ans, les principales agences d'acteurs ont traité plus de 100 000 dossiers. De ces candidats au *stardom*, cinq ou six seulement ont percé, deux sont devenus stars : mais ces chiffres minimalistes suffisent à entretenir le rêve. Au plus fort de la Grande Dépression, la Californie doit pratiquement être mise en état de siège, et les candidats à la gloire se voient repoussés *manu militari*.

Quant à ceux qui sont parvenus à Hollywood, ils animent la foule qui se presse auprès des agences artistiques et des bureaux d'embauche. L'univers de ces milliers de figurants, comme Hollywood dans son ensemble, est scientifiquement organisé. Le bureau du *Central Casting* rassemble les fiches des extras inscrits (12 000 à la fin des années vingt) et reçoit, en fin d'après-midi, les desiderata des studios. Les non-inscrits, estimés à une centaine de milliers, errent de studio en studio ou sur les boulevards, à l'affût.

Stars sur catalogues

De cette roue de la fortune, Hollywood saura faire... des films, tel *What Price Hollywood?* (littéralement : Hollywood, à quel prix?), produit en 1932 par David O'Selznick : c'est l'odyssée d'une jeune serveuse de bar découverte et propulsée dans les coulisses tragiques de l'usine à stars par un producteur hélas

Réagissant à la ruée des aspirantes starlettes à Hollywood, Cecil B. DeMille lance en personne ce pressant avertissement : «Il faut que les gens qui sont à l'extérieur de Hollywood restent chez eux, à moins qu'ils ne puissent faire preuve de mois, d'années d'une réelle expérience dramatique [...]. Sans

cette formation de base, ils se retrouveront perdus dans un maelström de plusieurs milliers de personnes n'ayant guère à offrir qu'un visage attirant ou quelque particularité physique.» L'ouvrage ci-dessus, publié en 1928, brosse un tableau très noir de la situation.

Tourné par William Wellman, *A Star is Born* première version (1937), avec Janet Gaynor, égrène les étapes du voyage conduisant une starlette aux oscars.

alcoolique : le filon sera repris en 1937 par William Wellman, avec *A Star is Born*, fable tragique retraçant l'itinéraire qui mène à Hollywood Boulevard.

Les années trente voient l'apogée du *star system*. Les studios s'enorgueillissent de leurs catalogues de vedettes et produisent à l'occasion de fastueux *All Star Movies* regroupant tous les poulains de chaque écurie. La Metro Goldwyn Mayer annonce fièrement «*more stars than there are in heaven*» (plus d'étoiles qu'il n'y en a au ciel), avec Greta Garbo, Joan Crawford, Clark Gable, Wallace Beery, Ramon Novarro, Marion Davies, Norma Shearer, John Barrymore, Marie Dressler, Spencer Tracy et bien d'autres. Paramount, héritière du leitmotiv «*Famous players in famous plays*», tient sous contrat la provocante Mae West, qui triomphe jusqu'en 1938, Gary Cooper, les Marx Brothers, Bing Crosby, Bob Hope, W. C. Fields, et n'hésite pas à recruter des valeurs sûres européennes, comme Marlène Dietrich ou Maurice Chevalier. Shirley Temple, la «nouvelle» fiancée de l'Amérique, et Will Rogers, ainsi que Tyrone Power et Betty Grable assurent le succès des grandes productions de la Fox, tandis que la Warner Bros ne «tient» que trois véritables stars, mais de gros calibre : Humphrey Bogart, James Cagney et Bette Davis.

Un œil sur le *box-office*, l'autre sur l'immense courrier reçu par les studios, bourse impitoyable de la popularité, les maisons de production jouent leurs stars comme elles lanceraient des produits manufacturés, et négocient, à l'occasion, l'échange ou le prêt à des Indépendants de leur stock humain.

Aux deux extrêmes de la chaîne des âges, le jeune Mickey Rooney, incarnation de l'adolescent américain typique, et Marie Dressler, superstar à plus de soixante ans, crèvent le *box-office* avec des comédies familiales qui comptent parmi les productions les plus rentables de la Metro. Paramount veille sur la gloire de Marlène Dietrich.

«Big five», «Little three» et les autres

Les années 1910-1920 avaient été celles de la lutte pour le contrôle de la production et de la distribution; au terme d'un processus de concentration rapide, le paysage industriel de Hollywood, vers le milieu des années trente, est fixé et ne bougera guère pendant une quinzaine d'années. Huit compagnies se partagent le gâteau, concurrentes entre elles mais soucieuses de ne laisser personne d'autre prendre pied.

Parmi les cinq *majors*, la Metro-Goldwyn-Mayer, branche du groupe Loew's, est la plus importante. La Paramount de Zukor, ébranlée par la dépression, la talonne jusqu'aux années quarante, en suivant une politique qui laisse plus d'initiatives aux réalisateurs, à commencer par le *filmmaker* vedette de la maison, Cecil B. DeMille. La Fox Films, la plus touchée par la crise, ne renaît de ses cendres qu'en 1935, en fusionnant avec la Twentieth Century Films de

Un *mogul* hors pair, Louis B. Mayer (page de droite, en haut), dirige les studios de la M.G.M. à Culver City, assisté par Irving Thalberg, l'enfant prodige de Movieland dont Fitzgerald s'inspirera pour son *Dernier Nabab*.

«Dis-moi comment est ton logo, je te dirai à quoi tu aspires.» Pour toutes les *majors*, logo rime avec ego. Ci-dessous, les sigles des *Big five* et des *Little three*.

Darryl Zanuck, créée en 1933. La Warner Bros, quatrième des *Big five*, doit sa position à son rôle pionnier dans le passage au parlant, et vit sous la férule du très autoritaire Jack L. Warner. R.K.O. enfin ferme le peloton, compagnie atypique née elle aussi du parlant et caractérisée par un certain flottement dans sa direction et ses choix de production, indécision propice à l'éclosion de fulgurants talents (Orson Welles, bien sûr, recruté à New York pour *Citizen Kane*).

Les *Little three* – Universal (qui verse dans le film fantastique), Columbia et United Artists – et la foule des Indépendants, souvent voués aux compléments de programme ou spécialisés dans un genre spécifique, se partagent les miettes, substantielles, du festin des *majors*, handicapées par leur faible poids dans la chaîne de distribution.

La Paramount, en proie dans les années trente à une période de turbulences et d'instabilité, est la seule à confier pour un temps des charges de production à un metteur en scène, le génial Ernst Lubitsch (page de droite, en bas).

Le temps des «majors»

Les *majors* contrôlent l'essentiel du parc prestigieux des salles d'exclusivité, ne laissant aux autres que les salles de quartier ou les cinémas préposés aux séries B. Avec 25 % des salles, les *Big five* touchent 75 % des recettes du cinéma américain. L'important, pour leurs agences de publicité, est de convaincre les spectateurs d'aller voir un film dès sa sortie, dans une salle prestigieuse aux tarifs plus chers.

Le secret de la rentabilité, selon Selznick, est clair : ne sont intéressants que les films très bon marché, ou, à l'opposé, les productions très chères. Chaque compagnie, dans ses programmes de travail, hiérarchise sa production : des westerns, *serials* et films de série B, tournés en quelques jours et destinés au complément de programme (d'où leur nom de *programmers*), aux coûteuses superproductions, *Superspecials* ou *New World Show Specials* qui feront se pâmer les foules dans les temples du cinéma des grandes métropoles. La rotation des films est très rapide, puisque la Paramount, par exemple, fait sortir une moyenne d'un titre par semaine en 1929-1930. A eux seuls, les *majors* produisent une moyenne d'un film par jour durant toute la décennie.

«Je ne veux pas que ça soit bon, je veux que ça soit prêt mardi», clame Jack Warner

C'est au cours des années trente que le *studio system* atteint son apogée, qui durera jusqu'au lendemain de la Seconde Guerre mondiale, et donne naissance aux plus beaux fleurons du classicisme hollywoodien.

«Ce travail au studio, déplore Blaise Cendrars qui visite Movieland en 1936, n'a plus rien d'artistique, mais est un travail de série [...]. C'est que la discipline est très stricte sur les plateaux de Hollywood, et que la règle est inflexible : on ne vous demande pas d'avoir du génie, mais d'obéir, et de faire vite.»

Le pouvoir est à New York, où les *majors* prennent toutes leurs décisions et fixent leur programmation. Sur la côte Ouest, les producteurs sont des exécutaires omniprésents et tout-puissants.

Le sourire de Jack Warner vient à point pour contrebalancer sa réputation d'autoritarisme. Archétype du *mogul*, il a été décrit par Joseph Kessel comme «l'autocrate d'un royaume, le patron d'une industrie, le rédacteur en chef d'un journal confié à sa discrétion».

Faire rendre à la machine le plus d'argent possible : *Ready, Willing and Able* de Ray Enright, une production Warner de 1937. Quel clavier !

David O'Selznick (page de gauche), enfant terrible des studios, fut le père d'*Autant en emporte le vent*. Farouchement indépendant, il crée, en 1935, sa propre compagnie et impose l'image du producteur pygmalion, omniprésent à chaque étape de la fabrication d'un film.

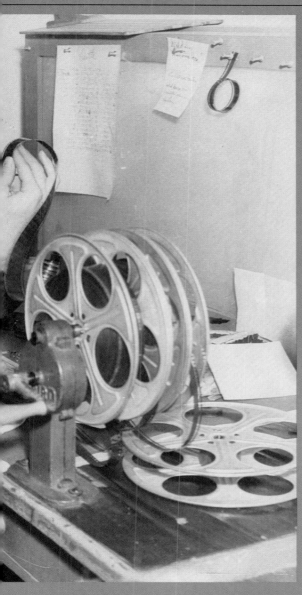

Usine des arts et des techniques : les studios de la M.G.M.

Depuis les rabatteurs de sujets qui, à New York, épluchent la production littéraire et les feuilletons des hebdomadaires à la recherche de possibles scénarios jusqu'à ceux qui tournent et montent le film, l'ensemble du travail se fait à l'intérieur de la Compagnie, qui possède un personnel (six mille employés de production pour la M.G.M.), un stock de décors permanents ou temporaires, une garde robe, une collection d'accessoires et une ménagerie suffisant à assurer le tournage de n'importe quelle intrigue, à n'importe quelle époque. Chaque studio est une ville immense (trente-cinq hectares pour la M.G.M. toujours – qui possède même une école –, cent quarante bâtiments, vingt kilomètres de voirie intérieure...), cité interdite retranchée derrière ses hauts murs. La jungle bien ordonnée de Hollywood n'a qu'une règle : la rentabilité.

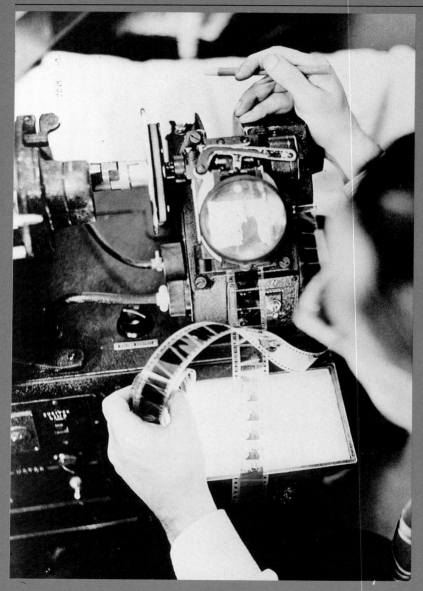

Toutes catégories confondues, ils étaient 34 en 1926-1927, pour un total de 743 films sortis. Dix ans plus tard, pour 484 films, ils sont... deux cent vingt, soit en progression de 800 % !

La machine tourne, vite et bien. Son organisation repose sur une extrême division des tâches.

Rien n'est laissé au hasard : une fois terminés, les films sont testés auprès de publics types aux quatre coins des Etats-Unis, à l'occasion de premières non annoncées, les *previews*. Le premier, Frank Capra a l'idée d'enregistrer sur le vif les réactions du public, afin de retravailler le montage de ses bandes.

Standardisation stérilisante parfois, il est vrai, mais le *studio system* a su générer une esthétique qui n'appartient qu'à lui : chaque film porte la marque de la compagnie qui l'a produit. Des générations de cinéphiles, du premier coup d'œil, reconnaîtront le velouté des éclairages de la Paramount, le montage agile et les dialogues hachés de la Warner Bros ou la griffe de Cedric Gibbons, le décorateur de la Metro.

La chronique hollywoodienne, par presse interposée, fait rêver le monde entier

Stars et *moguls* constituent la crème de la micro-société de Hollywood, immortalisée par des millions de kilomètres de pellicule photo et de film (des actualités cinématographiques aux bandes d'autopromotion des diverses compagnies). *Parties*, dîners mondains, soirées costumées, virées campagnardes : Hollywood, c'est d'abord un mode de vie érigé en modèle universel. Quelle femme ne rêve d'être maquillée par Max Factor ? Quel jeune homme ne souhaite franchir les barrières bien gardées des studios, ces forteresses modernes ?

La publicité (religion monothéiste et principe organisateur de la planète Hollywood) se vit au quotidien. Les rivalités entre compagnies, les brouilles ou les rapprochements de stars, les histoires

Grande prêtresse de la chronique hollywoodienne, Hedda Hopper juge, dévoile, manipule les aventures de la colonie des studios pour le compte du *Los Angeles Times*. Hollywood ne connaît qu'une loi, celle de la publicité. Très tôt (ici, Mary Pickford vante une crème de nuit crypto-pompéienne), les stars vendent leur visage et assurent leur image.

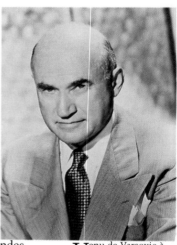

Venu de Varsovie à New York à l'aube du siècle, Samuel Goldwyn fonde en 1917 la Goldwyn Picture (dont il n'est plus lorsqu'elle est absorbée par la M.G.M.). Modèle absolu du producteur indépendant et pilier de la légende de Hollywood, il défrayait la chronique par ses «goldwynismes», parfois authentiques...

Pompeian Night Cream

Cleansing and Skin-Nourishing

de haine et les romances amoureuses, les anecdotes et les bons mots des grands (Samuel Goldwyn est célèbre pour son inculture et sa façon de massacrer la langue anglaise) sont la manne des journalistes spécialisés. Première dans cette catégorie, la toute-puissante Louella Parsons, qui officie dans la presse de William Randolph Hearst, comprit un jour qu'il valait mieux ausculter la vie quotidienne des habitants de la nouvelle Olympe que critiquer les films – les hauts faits de Hollywood offrant de bien meilleurs scénarios. Avec sa rivale en titre, Hedda Hopper, elles sont les reines incontestées du *gossip* élevé au rang de vision du monde. Cet univers, où le privé n'existe

guère
(en 1927,
Cecil B. DeMille,
pour éviter tout
scandale possible, faisait
signer aux acteurs du *Signe de la croix*
un contrat de bonne moralité s'étendant à leur
vie hors-studio), a sa géographie propre, ses hauts
lieux, son aristocratie (une aristocratie à
l'américaine, arrogante et fragile à la fois).

Paraître ou ne pas être : telle est la question

Saint des saints, le Mayfair Club, lancé par Thalberg
et Grauman, est le rendez-vous de l'élite, célèbre pour
ses soirées de gala et ses draconiennes conditions
d'entrée. Il ne manque pas d'imitateurs, et les clubs
plus ou moins prestigieux se multiplient. Après
Ocean Drive, le site balnéaire de Malibu gagne ses
lettres de gloire au *box-office* des lieux à la mode vers

Les sanitaires
princiers du Pickfair
(à droite), le somptueux
château de Valentino
(ci-dessus) ou le coquet
ranch de Clark Gable
et Carol Lombard (en
haut) avaient ouvert la
voie à la surenchère
des maisons de stars.

la fin des années vingt. Plus tard, on se pressera auprès de William Hearst et de Marion Davies dans le splendide château de San Simeon, modèle du Xanadu de *Citizen Kane*.

Hollywood ou la dictature du paraître : «Un endroit où vous dépensez plus que vous ne gagnez pour des choses que vous n'aimez pas, afin d'impressionner des gens que vous n'aimez pas», selon l'acteur Ken Murray. Groucho Marx (ci-dessous) – qui n'en est certes pas à un paradoxe près – stigmatise par un aphorisme la manie des clubs, dans lesquels, du plus prestigieux au plus modeste, la colonie se répartit et se compte : «Je démissionnerais sur-le-champ d'un club qui m'accepterait comme membre !»

Etre là, être vu, voilà l'essentiel d'une vie mondaine dont les pôles sont multiples et changeants. La maison est, d'ailleurs, le premier signe de reconnaissance des grands de Hollywood. Dans les années vingt, on admirait «Pickfair», le domaine de Mary Pickford. Le parc immobilier de la ville, de Sunset Boulevard aux hauteurs enviées de Beverly Hills, évolue à grande vitesse, et les magazines de mode et de décoration déclinent sans trêve les splendeurs des palais Renaissance ouvertement kitsch ou des ranches faussement rustiques des stars de l'écran, auxquels les meilleurs décorateurs des studios prêtent leur talent.

La vie quotidienne des dieux

Ces comédiens, «les esclaves les mieux payés du monde», vivent-ils la vie extraordinaire, le modèle absolu de l'*american dream* que déroulent inlassablement les pages glacées des *fan-magazines* ou, plus prosaïquement, la parfois rude existence d'employés de l'imaginaire à temps plein (une journée de tournage dure douze heures)? L'ethnologue de Hollywood ne saurait guère qui croire, tant les visions de la tribu divergent.

Version âge d'or : pour Wilson Heller, ancien attaché de presse de Howard Hugues, «cette ville était, dans les années vingt, un endroit beaucoup plus excitant que ce qu'elle est devenue par la suite. Il y avait plus de liberté et l'on s'y amusait comme des fous. Les acteurs étaient presque tous d'origine modeste et avides de notoriété.»

Howard Hawks, très à l'aise dans la *screwball comedy* (comédie légère), dirige Katherine Hepburn dans *L'Impossible Monsieur Bébé* (1938), un sommet de loufoquerie. La collaboration entre réalisateur et vedettes, parfois orageuse (la presse s'en régale), se doit d'être étroite. Rituellement, tous les jours, les dialogues sont épluchés, commentés, retaillés.

Moins enthousiastes, d'autres, à commencer par Ben Hecht, un des scénaristes les plus en vue à la fin des années trente, décriront plus tard Hollywood comme une sorte de bagne mondain où une micro-société jalouse

de ses privilèges vit sur un mode plus stratifié et rigide que celui des castes hindoues : l'univers froid, lucide et hypocrite du *Dernier Nabab* de Fitzgerald. Comme dans toute société très normée, écarts et déviances n'en sont que plus visibles. En compulsant les mémoires de stars, les chroniques journalistiques et les pamphlets dénonçant l'orgie permanente de Hollywood, on mesure mal la réalité quotidienne de la vie de ces dieux de l'écran, laquelle doit être cherchée quelque part entre la légende noire des «forçats du rêve» et l'univers de débauche de Hollywood-Babylone.

Ecrivains à la chaîne

Peu avant la guerre, six films sur dix sont adaptés de romans, nouvelles ou pièces de théâtre. L'avènement du parlant a propulsé sur la scène hollywoodienne un nouveau personnage : l'homme de lettres. Hollywood draine les meilleures plumes du roman américain,

L e récit de voyage à Movieland, réel ou imaginaire, devient pour les Européens un genre littéraire à part entière, de Cendrars (*Hollywood, La Mecque du cinéma*, 1936) à Kessel (*Hollywood, ville mirage*, 1937) et Ilya Ehrenbourg (*Usine de rêves*, 1939). Le genre a sa petite monnaie sur le mode du pamphlet, telle *L'Epicerie des rêves*, signée... Ivan Noé. Le regard, toujours étonné, est prétexte à méditations et à considérations morales. Comment, s'interrogent nos voyageurs, peut-on être et rester hollywoodien ?

recrutées au sein des milieux littéraires de New
York, pour le meilleur et pour le pire.

D'emblée, les rapports entre producteurs,
réalisateurs et auteurs sont conflictuels.
«Les écrivains, déclarera le réalisateur
Billy Wilder, venaient à Hollywood
pour faire de l'argent à toute vitesse.
Ils voulaient tous une part du
gâteau, mais ils ne portaient pas de
réel intérêt au cinéma : ils le
regardaient de haut, comme
une chose de troisième
ordre.»

C'est l'homme de cinéma qui
parle ; les écrivains, on s'en doute,
ont une tout autre opinion de leur
travail auprès des studios. Venus au
pays du songe, ils découvrent sa
discipline de fer. «Je travaille, écrit
le romancier Nathanael West, recruté
par la Columbia en 1933, de dix heures
du matin à six heures du soir, y
compris le samedi. Cinq minutes
après que je me sois assis à mon
bureau, on m'a donné du travail [...]
et je dois tous les jours écrire des
pages et des pages. On ne plaisante
pas, ici. Tous les auteurs sont
installés dans des rangées de
box, et dès qu'une machine
à écrire s'arrête, quelqu'un
glisse sa tête pour voir si
vous êtes en train de
réfléchir.»

A Nation-Wi

Auteurs anonymes

Sur le plan littéraire,
l'amour propre des

maniaques de la virgule est soumis à rude épreuve : Hollywood nie l'auteur, et les écrivains voient leurs scripts rewrités, amputés, confiés à d'autres équipes (il est fréquent que l'on confie en même temps, à leur insu, le même sujet à plusieurs scénaristes), soumis à la seule volonté des producteurs, auxquels ils ont en signant leur contrat cédé tous leurs droits. Leur nom,

Studios cherchent auteurs et idées neuves, clame la presse dans de «grands appels nationaux», et les petites annonces regorgent de cours de scénario à l'efficacité aléatoire.

HUMPHREY **BOGART** · MARY **ASTOR**

the **Maltese Falcon**

A WARNER BROS FIRST NATIONAL PICTURE

bien souvent, est écarté des génériques, et ils découvrent le pire : l'anonymat.

Comment intégrer un travail personnel à une chaîne de production telle que celle du *studio system* ? Le métier d'auteur est parfois sans pitié. Pourtant, tous se frotteront à Hollywood, de Faulkner à Hammett, de Sturges à Dos Passos, de Chandler à Fitzgerald, sans oublier

Parmi les écrivains recrutés : Dashiell Hammet (page de gauche). Mais la gloire est longue à venir : si son *Faucon maltais* a déjà été adapté deux fois, en 1931 et 1936, ce n'est que dans le *remake* de 1941, celui de John Huston (Bogart y est le meilleur Sam Spade) que le nom du maître du polar apparaîtra enfin au générique.

Ben Hecht, l'impitoyable critique des us et coutumes hollywoodiennes, pour qui «une industrie basée sur l'art de raconter des histoires s'effondra lorsque l'auteur se vit attribuer le rôle d'un garçon de courses». Enfermés dans leurs bungalows, les bénédictins du cinéma ne sont qu'un boulon de la grande machine. Entre la légende dorée des *sunlights* et la légende noire qui veut que Hollywood ait, génération après génération, dévoré le meilleur de la prose américaine, les écrivains courent après une improbable légitimité. «Le principe de ce système consiste à exploiter le talent sans lui reconnaître le droit d'être un talent», diagnostique Chandler, qui proteste également contre l'interdiction faite aux écrivains d'avoir dans leur cellule un canapé !

Un monde en Technicolor

Comme la parole, la couleur est un très vieux rêve du cinéma, et de multiples procédés ont été expérimentés depuis la naissance du septième art. Comme le muet, le noir et blanc avait généré une esthétique propre au cinéma, mais là aussi les intérêts économiques en jeu imposent une évolution technologique rapide.

Souvent associé au sonore, le Technicolor, procédé mis en place sous une forme bichromique encore imparfaite dès les années vingt, s'impose en trichrome en 1934, avec un court métrage intitulé *La Cucaracha*. Dès 1935, un long métrage, *Becky Sharp*, est entièrement réalisé avec le nouveau procédé, lequel donne aussi toute sa splendeur au *remake* du *Jardin d'Allah* produit par Selznick en 1936. Walt Disney, parmi les premiers à s'intéresser à cette avancée technique, saisit l'occasion au vol : *Blanche-Neige et les sept nains* (1937), son premier

Becky Sharp (1935), de Rouben Mamoulian, avait inauguré l'ère du Technicolor. Les compagnies misent sur le nouveau procédé, qui donne plus de magie aux contes et aux rêves. Walt Disney signe pour la R.K.O. le premier long métrage d'animation sonore,

Blanche-Neige et les sept nains, événement des fêtes de fin d'année 1937. La M.G.M. à son tour met en chantier la féerie musicale du *Magicien d'Oz* (Victor Fleming, 1939), dont le budget dépasse les 25 millions de dollars.

long métrage en Technicolor, se place au second rang du *box-office* de la décennie, derrière le record établi par *Autant en emporte le vent* (1939), exemple limite du nouveau classicisme né du passage à la couleur.

Clark Gable et Vivien Leigh dans un baiser élevé au rang d'icône. L'aventure la plus démesurée de Hollywood, le tournage le plus complexe, jusqu'à l'absurde, sous la bouillonnante direction du producteur David O'Selznick, une marée d'oscars, 100 millions de spectateurs en moins de vingt ans et des profits record : *Autant en emporte le vent* (1939) décourage les superlatifs. «Si l'armée sudiste avait été aussi nombreuse, dira le mari de Margaret Mitchell en voyant les figurants innombrables de la scène de la gare d'Atlanta, nous aurions gagné la guerre!»

« **N**ous ne sommes en guerre avec personne : nous avons des salles dans le monde entier», déclarait Mayer. Pourtant, après Pearl Harbor, Hollywood, comme un seul homme, entonne le *Star Spangled Banner*. A la fin du conflit, une nouvelle guerre, américano-américaine, déchire Hollywood : la chasse aux sorcières.

CHAPITRE IV
L'ÉTAT DE GUERRE (1940-1950)

Pendant la Seconde Guerre mondiale, Frank Capra révolutionne l'art du documentaire et soulève l'enthousiasme avec la série *Why we Fight* (*Pourquoi nous combattons*), films d'instructions militaires expliquant aux soldats américains et alliés la justesse de leur cause. Marlène Dietrich s'engage dans l'action de soutien moral au travers de la Commission des activités de guerre.

Premières escarmouches

Hollywood met un certain temps à entrer en guerre : malgré le vœu formulé par certains cinéastes – surtout les exilés d'Europe, tel Anatole Litvak qui signe en 1938 *Les Aveux d'un espion nazi* –, les studios suivent la tendance isolationniste qui domine l'opinion, et préservent leurs marchés. C'est Chaplin qui ouvre le feu avec son *Dictateur*. Jusqu'à sa sortie en octobre 1940, le film subit la pression conjointe de la diplomatie allemande, des isolationnistes et des pro-nazis. Il faut le choc de Pearl Harbor, en 1941, et l'entrée en guerre des États-Unis pour que Movieland, massivement, se drappe dans la bannière étoilée.

Hollywood se retrouve géographiquement au cœur du conflit, vivant dans la psychose d'une offensive japonaise sur Los Angeles, qui sert d'étape aux troupes partant vers le Pacifique. La légende veut que les patrons de la Warner, inquiets d'être voisins des usines Lockheed, aient envisagé de faire peindre sur les toits du studio une gigantesque flèche portant les mots «*Lockheed, This Way*» à l'usage d'éventuels kamikazes de passage.

Trois Européens à Hollywood (page de gauche) : René Clair, Jean Renoir et Fritz Lang, qui a quitté l'Allemagne dès 1933, fuyant les fonctions que lui proposait le régime nazi.

L'afflux des artistes venus d'Europe se poursuit, comblant le vide du personnel enrôlé, et transforme Hollywood, pour quelques années, en une moderne Athènes. On y croise Bertolt Brecht, Arnold Schönberg, Igor Stravinski (fort choqué qu'un fonctionnaire de l'immigration lui ait demandé à la frontière quel nouveau nom il souhaitait prendre), Fritz Lang, Max Ophuls, Thomas Mann, Jean Renoir, René Clair : un souffle d'air salutaire pour Hollywood où se crée, à l'usage des exilés et sous l'impulsion de Lubitsch, un European Film Fund.

Hollywood mobilisé

Plus nettement encore que pendant la Première Guerre mondiale, Hollywood est sous les drapeaux : près d'un artiste sur dix s'engage dans les forces armées ; les magazines regorgent d'images des stars en uniforme. Hedy Lamarr elle-même promet un baiser à qui achètera pour 25 dollars de bons de guerre. Gare à qui refuse cet élan patriotique : Greta Garbo, arguant de la neutralité de la Suède, ne suit pas le mouvement et y perd un peu plus de son aura.

Conscients du poids du cinéma dans l'arsenal de la propagande U.S., les pouvoirs encouragent cet effort, autant pour entretenir le moral des troupes que pour maintenir les aires d'influence américaine, à commencer par celle, toute proche, de l'Amérique

Charlie Chaplin
The Great DICTATOR
Produced, written and directed by CHARLES CHAPLIN
with PAULETTE GODDARD
JACK OAKIE · HENRY DANIELL
REGINALD GARDINER · BILLY GILBERT
MAURICE MOSCOVITCH
Released thru United Artists

Chaplin parle enfin, dans *Le Dictateur*, pour prôner un nouvel humanisme face à la barbarie tragi-comique des dictatures (ci-dessus, Jack Oakie dans le rôle de Benzino Napolini, dictateur bouffon de la Bactérie). Il faut attendre la déclaration de guerre pour que le tout-Hollywood se range en musique derrière Oncle Sam et les valeurs yankees (en haut, *La Parade de la gloire*, Michael Curtiz, 1942).

★ ★ ★ ★ ★ ★ ★ ★ ★ ★ ★ ★ ★ ★ ★

latine. La profession, sous la houlette de Zanuck qui parade en uniforme devant les photographes, crée un Comité pour les Activités de Guerre. Films de propagande, *remakes* de bandes d'espionnage mises au goût du jour, geste héroïque des divers corps de combattants (*Air Force* en 1943, *G.I. Joe* en 1945) ou dévouement à l'arrière des valeureuses infirmières (Claudette Colbert, Paulette Goddard et Veronica Lake dans *Les Anges de miséricorde* en 1943) envahissent les écrans.

Fleuron de Hollywood en guerre, *Casablanca* (Michael Curtiz, 1942) fut tourné au jour le jour, à mesure que le scénario était improvisé.

Cible privilégiée depuis *Le Dictateur*, le personnage d'Hitler lui-même inspire plusieurs films, tels le *To be or not to be* de Lubitsch ou le *Hitler Gang* de John Farrow. L'ensemble de la production est

concerné, jusqu'au *cartoon* : Tex Avery réalise une parodie des *Trois Petits Cochons* mettant en scène un loup nazi ; Donald Duck, Tom et Jerry

contribuent à l'effort de guerre et à l'entrain des valeureux soldats. Dans le sillage des troupes américaines et de la Hollywood Victory Caravan de Bob Hope, Movieland se lance à la reconquête du monde et plus particulièrement de l'Europe, sevrée, sous la domination de l'Axe, d'images *made in U.S.A.* Entre cigarettes blondes et bas nylon, l'imaginaire de Hollywood fait partie du paquetage obligatoire des *marines*.

«Pourquoi nous combattons»

En plein tournage d'*Arsenic et vieilles dentelle*s, Frank Capra est appelé sous les drapeaux et prête serment sous les *sunlights* de son studio. Versé au service chargé du moral des troupes, il réalise une des séries les plus représentatives de l'engagement de Hollywood, *Why we Fight* (Pourquoi nous combattons),

De l'image de propagande retraitée (page de gauche, *Pourquoi nous combattons* de Frank Capra, qui détourne les bandes nazies de Leni Riefenstahl) à la convivialité patriotique de *Hollywood Canteen* (en bas, Bette Davis

RAY MILLAND · WILLIAM HOLDEN
WAYNE MORRIS · BRIAN DONLEVY.
I WANTED WINGS
CONSTANCE MOORE · VERONICA LAKE · HARRY DAVENPORT
Directed by Mitchell Leisen   A PARAMOUNT PICTURE

dans le film de Delmer Daves, 1944) ou à la vive attention portée par Veronica Lake aux chevaliers du ciel américains (*I Wanted Wings*, Mitchell Leisen, 1941), la colonie hollywoodienne gaillardement s'en va-t-en guerre.

sept documentaires retraçant l'histoire du conflit et expliquant aux soldats les raisons de leur présence sur le front. Installé dans un studio désaffecté de la Fox, il continue sa production avec des titres tels que *Know your Ally, Know your Enemy* (*Connais ton allié, connais ton ennemi*), *The Negro Soldier in World War Two* (*Le Soldat noir dans la Seconde Guerre mondiale*), à l'aide de matériel prêté par les studios. Ses films sont projetés jusqu'en U.R.S.S., on le présente à Roosevelt et à Churchill : le nom de Capra figure sur la liste des héros de l'arrière.

Mais si l'engouement de la fiction pour les sujets guerriers, traités avec un réalisme croissant, témoignent de l'élan patriotique pris par le cinéma, de nouvelles inquiétudes se font jour : le «nouveau Weimar» que constitue Hollywood, avec sa colonie d'artistes venus d'Europe, inquiète les franges les plus conservatrices de l'opinion, à commencer par le Comité des activités antiaméricaines qui, dès l'avant-guerre, s'était fixé pour but de dénoncer au Congrès les «rouges» de Hollywood, allant jusqu'à mettre en accusation rétrospectivement Shirley Temple, pour une photo de vœux dédicacée parue en France dans un quotidien communiste, alors qu'elle était âgée de… huit ans!

En 1943, les Allemands abattirent l'avion de l'acteur anglais Leslie Howard (à gauche), révélé à Hollywood par l'avènement du parlant et mondialement connu pour son interprétation d'Ashley dans *Autant en emporte le vent.*

Shirley Temple n'est plus la «mascotte du régiment» ! Quittant le cinéma en 1949, l'ex-enfant star de la Fox, mise en cause dans la chasse anti-rouges, fera carrière dans le parti républicain, et deviendra une diplomate de haut rang.

1945, l'année de tous les profits

Hollywood crève le plafond : les années de l'immédiat après-guerre voient les courbes de fréquentation des salles atteindre leur maximum historique (82 millions de spectateurs hebdomadaires en 1945, un record qui restera longtemps inégalé). Mieux, le cinéma américain n'a jamais été aussi puissant à l'étranger. La production hollywoodienne déferle à nouveau sur les marchés de l'Europe libérée, et non encore protégée par les quotas d'importation. Une nouvelle génération de cinéphiles découvre d'un coup plusieurs années de production jusque-là bloquée. Et Movieland semble promis, pour reprendre le titre du film qui pulvérise le *box-office* en 1946, *The Best Years of our Lives*, aux meilleures années de sa vie.

Sorcières mal aimées

A peine sortie de l'euphorie des lendemains de combats, les Etats-Unis entrent en guerre froide : l'imaginaire américain

Le portrait de Rita Hayworth était l'un des plus réclamés par les G.I. ! Orson Welles l'avait épousée en 1943. La Columbia, de *Gilda* à *La Dame de Shangaï*, couvait cette star aux cheveux d'or.

se peuple d'espions venus du froid à l'accent slave, et Hollywood devient l'un des épicentres de la «chasse aux sorcières».

Le Comité des activités antiaméricaines mène l'offensive : en mai 1947, son président, Parnell Thomas, déclare que «des centaines de personnalités importantes de la capitale du cinéma ont été identifiées comme communistes». L'Inquisition commence, et les clans se dessinent clairement : parmi les plus actifs pourfendeurs des «activités antiaméricaines», Cecil B. DeMille montre un zèle acharné.

Le procès des supposés communistes s'ouvre en octobre devant le Congrès, à Washington. Dès novembre, la Motion Pictures Association of America dresse sa première «liste noire». Au sein des associations professionnelles, c'est la guerre civile; délation et trahison hantent le «49e Etat» américain, et chacun dresse ses listes. En décembre, les désormais célèbres dix réfractaires ayant refusé de répondre à la question «Etes-vous communiste?» sont condamnés à des peines de prison.

La chasse aux sorcières suscite un véritable exode.

"Si vous dites de M. Dupont, qui est le premier apiculteur des Etats-Unis, que c'est un rouge, c'est peut-être dangereux pour les abeilles, mais ça ne fait pas une grande publicité. Par contre, si on vous dit que vos vedettes préférées sont des agents du communisme international, qu'on en apporte la preuve ou non, alors là on est sûr que la presse entière en parlera en long et en large.**"**
Vladimir Pozner, 1962

RED HEARINGS R
WRITER NAMES LI

Warners' Anti-
Timely and Ha

Parmi les premiers, Bertolt Brecht, qui travaillait sur son *Galilée*, s'envole vers la France. Joseph Losey, Jules Dassin, John Berry

Le *Motion Picture Herald* suit en 1951 les procès des rouges : un scénariste livre le nom de leaders. On y commente «le film antirouge de la Warner», *J'ai été communiste pour le F.B.I.*

Deux scénaristes aux arrêts : cette image suscite l'ire de *L'Ecran français*, revue proche du P.C.F. Le maccarthysme a profondément clivé la colonie hollywoodienne, où les idées progressistes avaient notamment essaimé autour du scénariste et écrivain Upton Sinclair, dans les années trente. Désormais,

Voici la photo la plus émouvante de la semaine : deux hommes AUX-QUELS ON A PASSE LES MENOTTES deux scénaristes d'Hollywood : Dalton Trumbo (vous souvenez-vous de « On lui donna un fusil ? », de « Trente secondes sur Tokio ? ») et John Howard Lawson (vous pouvez voir actuellement à Paris « Convoi vers Mourmansk »). Leur crime ? AVOIR REFUSE DE REPONDRE PAR OUI OU PAR NON A CES DEUX QUESTIONS : « ETES-VOUS COM-MUNISTE ? » et « ETES-VOUS SYNDICALISTE ? »

chacun doit choisir son camp, celui des défenseurs de la liberté de conscience ou celui des délateurs, que rejoint notamment Elia Kazan, ancien rouge «repenti». Vitrine de l'Ouest, Movieland est entré en guerre froide civile. Des carrières en seront bouleversées. Dalton Trumbo, ci-dessus menotté, recevra en 1956 l'oscar du meilleur scénario... mais sous pseudonyme.

le suivront en Europe. Chaplin, violemment mis en cause depuis longtemps sur le plan privé comme pour ses positions politiques, divorce d'avec Hollywood à la fin de l'été 1952. Plusieurs scénaristes et réalisateurs doivent travailler sous pseudonyme, ou disparaître des plateaux.

La défaite des «majors»

C'est dans ce climat rien moins que serein d'inquisition antirouge et de listes noires que le *studio system* connaît sa crise la plus grave, qui le mènera à l'anéantissement. Le capitalisme sauvage a son garde-fou, au nom du respect de la libre concurrence : la législation antitrust. Clins d'œil appuyés au pouvoir et aux majorités en place, l'enthousiasme rooseveltien d'un Warner, le patriotisme cocardier d'un Zanuck, l'ire anticommuniste du tout-Hollywood n'ont pas suffi à détourner les foudres des hommes de loi.

Paramount, le roc de Hollywood, fier de son gratte-ciel new-yorkais de Times Square, de son catalogue de stars, de ses ciné-temples et de son gigantesque parc mondial de salles, tombe la première, vouée aux gémonies pour ses pratiques commerciales ouvertement anticoncurrentielles. Rendant en 1949 son verdict dans l'affaire «*United States versus Paramount*», la Cour suprême fait éclater le tiercé gagnant production-distribution-exploitation qui permettait aux *Big five* de contrôler d'un bout à l'autre – de la première ébauche de synopsis au commerce du pop-corn – la chaîne du cinéma. Les compagnies sombrent dans la morosité, hésitent de plus en plus à produire gros. L'âge d'or de la concentration verticale a vécu.

Hollywood vacille

La presse corporatiste annonce que les *majors* sont prêtes à tout laisser tomber. De fait, la production des huit principales firmes s'effondre. Tous les clignotants sont au rouge. La fréquentation chute en parallèle, dans les salles classiques aussi bien que dans les *drive-ins*, ces salles en plein air qui conjuguaient pourtant trois piliers de la civilisation américaine : la voiture, le cinéma et le hamburger. La part du cinéma dans l'industrie américaine du loisir,

Photo de famille : l'écurie M.G.M. au complet. Au centre, Louis B. Mayer, entouré des vedettes maison.

Les ravages de Betty Boop ont survécu aux années trente, mais la créature des frères Fleischer, qui fit les beaux jours de la Paramount, avait dû se rhabiller dès 1935, sous la menace du code Hays !

qui avait connu son record absolu en 1943 (plus de 25 %), est dès 1947 tombée à 15 %, pour atteindre à peine plus de 9 % six ans plus tard.

De leurs bureaux démesurés d'où ils croyaient dominer le monde, les derniers grands sauriens de Hollywood se lamentent, ou paniquent : encore dix ans et les petits écrans auront définitivement mangé les grands. En 1948, «tout Hollywood pleure la disparition de David W. Griffith, mort à l'âge de soixante-dix ans dans la ville qu'il avait contribué à construire», écrit Raoul Walsh. En 1950, sur Sunset Boulevard, on ne donne pas cher de l'avenir du cinéma.

MR. WELLES

❝Le vrai drame d'Orson Welles, selon moi, c'est d'avoir passé ses soirées depuis trente ans avec des producteurs tout-puissants qui lui offraient des cigares, mais ne lui auraient pas confié cent mètres de pellicules à impressionner.❞
François Truffaut,
Le Plaisir des yeux,
1987

En 1949, Samuel Goldwyn avait annoncé que le cinéma, après les riches heures du muet puis le choc du parlant, s'apprêtait à entrer dans «la troisième phase de son histoire : l'ère de la télévision». Reconversions, nouvelles valeurs, manœuvres financières en séries : quarante ans plus tard, Hollywood est encore le centre, auréolé de gloire, de l'imaginaire du monde.

CHAPITRE V
LES DERNIERS NABABS

Au cœur de la guerre de Corée, les déhanchements de Marilyn Monroe réconfortent les militaires U.S. loin de leurs foyers. Quelque trente ans plus tard, à l'ère du rêve électronique, un étrange lutin venu d'ailleurs, propulsé sur terre et au sommet du *box-office*, aimerait bien, lui aussi, rentrer à la maison (*E.T.*, 1982).

Les «fifties», fin de l'âge classique

Hollywwod s'apprête à vivre, après l'écroulement du *studio system*, sa crise la plus rude. Tandis qu'en Europe triomphe l'idée du cinéma d'auteur, qui aura des conséquences directes aux Etats-Unis, c'est le temps du retour en force du western et de la superproduction, le triomphe des héritiers du film noir classique,

le règne du mélo en Technicolor – puis en Eastmancolor –, l'heure de gloire des *musicals* de la M.G.M. On assiste aussi à la naissance d'un cinéma plus personnel, antihollywoodien, qui aura le dessus pendant les décennies suivantes : un véritable cinéma d'auteurs *made in USA*, soutenu par les Indépendants enfin en position de force.

Les années cinquante pourtant sont un nouvel âge d'or du classicisme hollywoodien, ancrées au cœur de la culture cinéphilique.

Une série de deuils marque le tournant des années soixante : Bogart en 1957, Flynn en 1959, Gable en 1960, Cooper en 1961. Mais le spectacle continue…

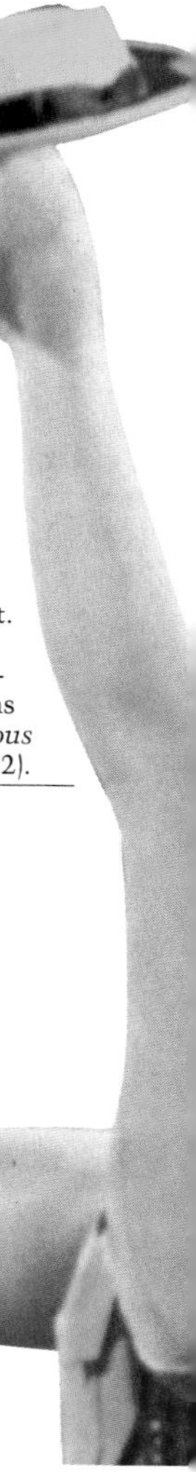

Hollywood à son propre miroir : Gene Kelly et Cyd Charisse se penchent avec talent et *glamour* sur le Movieland des dernières années vingt. Les voici, à gauche et ci-dessous, dans *Chantons sous la pluie* (1952).

Les petites lucarnes font de l'ombre au grand écran

Hollywood, au début des années cinquante, prend conscience du risque nouveau que constituent les écrans de la télévision, plus petits, mais surtout domestiques et déjà familiers. Alors que la Paramount met un accent sans lendemain sur la retransmission de spectacles télévisés en salles, une nouvelle épreuve technologique est engagée : le cinéma doit faire plus grand, plus vrai.

En 1952, un nouveau procédé, le Cinérama, est présenté à grand renfort de publicité. En même temps, la Fox se lance dans l'aventure du Cinémascope, plus convaincant, avec *La Tunique*.

Effet de miroir encore avec George Cukor. En 1954, il met en boîte, en Scope et Technicolor, le *remake* d'un inépuisable roman d'initiation filmique : *Une étoile est née.*

La surenchère technologique est lancée : écran panoramique, couleurs toujours plus travaillées.

m.g.m's TOP Technicolor musical♪

Toujours plus grand, toujours plus vrai : huit des vingt et un films sortis par la Warner Bros en 1954 sont en Scope, trois en 3 D, procédé

La T.V., voilà l'ennemie : les *moguls* ne veulent pas céder leurs catalogues. Parallèlement, les exploitants se mobilisent, témoin cette campagne de publicité, lancée en 1951 : «Pourquoi attendre la couleur ? Le cinéma l'a déjà ! Prenez votre auto, dînez dehors, allez voir un bon film !». Le publicitaire invente un nom pour qualifier l'étrange maladie de ceux qui s'enferment devant leur poste : la *homitise* (de *home*, qui signifie foyer).

expérimenté par la firme avec *House of Wax*, ouvrant le cinéma au relief mais promis à un avenir limité.

Colossal : *Les Dix Commandements*, du vétéran Cecil B. DeMille font sensation, suivant de peu son spectaculaire *Sous le plus grand chapiteau du monde*, dernière métaphore de la puissance barnumienne de l'antique Hollywood. A côté de ces super-productions, vitrine des grandes compagnies ou coups de poker des Indépendants, on revient en masse à la série B, moins coûteuse.

Adieu, platitude ! Le cinéma s'offre la troisième dimension. Munis de lunettes spéciales, les spectateurs tremblent face à *L'Homme au masque de cire* (André de Toth, 1953). Vincent Price, pourtant homme de goût et de culture, y entame une longue carrière de monstre polymorphe et pervers. Mais, tandis que le cinéma joue la carte de l'hyperréalisme, l'exode vers la télévision s'affirme : «Hitch», le maître du suspense (page de droite, en bas), lance la savoureuse série *Alfred Hitchcock Presents…* où il excelle en Monsieur Loyal à l'humour noir.

Pleins feux sur la télévision

Les courbes de fréquentation sont en chute libre
(50 millions de spectateurs hebdomadaires en
1955, 30 en 1960, 20 en 1965), et croisent celle,
exponentielle, des postes de télévision dénombrés
aux Etats-Unis : 10 millions en 1951, 50 millions
en 1959, 85 millions en 1961...

Dès 1951, la Columbia, suivie non sans réticence
par les principaux *majors*, accueille sur ses plateaux
des équipes de télévision. Avisée, la Walt Disney
Company produit dès 1954 des spectacles télévisés
réguliers, ancêtres du *Disney Channel*. Hitchcock,
l'année suivante, signe avec C.B.S. pour la série
Alfred Hitchcock Presents... Groucho Marx, séparé
de ses frères, devient animateur de jeux télévisés :
les stars, désormais, se ruent vers la télévision. Petit
à petit, les studios hollywoodiens qui ne sont pas
vendus et transformés en supermarchés ou en
résidences pour nababs héliotropiques sont recyclés
en plateaux de télévision.

Les compagnies, désormais assises sur leurs
catalogues, céderont progressivement les droits de
diffusion de leurs productions. N'ayant pas voulu,

FUN FOR THE WHOLE FAMILY

Walt Disney meurt en 1966, laissant derrière lui un véritable empire. C'est en 1928 qu'il avait lancé (après les éphémères aventures d'Oswald le lapin) le personnage de Mickey Mouse, autre rongeur anthropomorphe auquel son créateur donnera une compagne, Minnie Mouse, et un trio de neveux ravageurs. Walt connaît la musique : pour avoir attrapé juste à temps le train du parlant, puis celui de la couleur, il est le roi incontesté du dessin animé. Parcs d'attractions (le premier Disneyland ouvre en 1955), gadgets en tous genres, licences de produits dérivés, création récente d'une division «adultes», la Touchstone Pictures : la galaxie Disney a bien survécu à son fondateur.

ou pas su, prendre le contrôle de la nouvelle industrie, les studios ont perdu une nouvelle guerre

Hollywood n'est plus dans Hollywood

Les années cinquante voient apparaître un autre péril : l'éclatement géographique de Hollywood, la dispersion de l'usine à rêves aux quatre coins du monde. Plus question, comme aux grandes heures des années trente, de tourner tout sur place. Les grands studios étrangers, avec leurs coûts de production inférieurs, leurs syndicats moins exigeants, leurs séduisants avantages fiscaux, attirent de plus en plus les producteurs et les acteurs américains : Londres, Paris, Madrid et bien sûr Rome. Cinecittà, cette autre ville artificielle du cinéma, voulue comme telle dès sa création par Mussolini,

Après le sevrage des années de guerre, les cinéphiles ont les yeux braqués sur Hollywood ; en haut, deux numéros des revues rivales : *Positif* (qui offre en 1954 cette couverture à Bogart, journaliste héros de la liberté de la presse dans *Bas les masques*) et *Les Cahiers du cinéma* (qui fondent ici pour les jambes de Cyd Charisse en 1960)

Les liens des studios avec l'Italie se renforcent (à droite, Audrey Hepburn et Gregory Peck sur le *set* de *Vacances romaines*, William Wyler, 1953), et les vamps de Movieland (en bas, Ava Gardner) doivent compter sur la concurrence des belles Italiennes.

est en pleine croissance : en 1953, l'Italie produit 145 films, soit près de la moitié de la production hollywoodienne. Consécration : en 1954, *Time* consacre sa couverture à Gina Lollobrigida.

Pour les plus pessimistes, Hollywood n'est plus dans Hollywood. Pour les optimistes, Hollywood est reine du monde. Les réalisateurs essaiment, prennent le chemin de l'Italie, de l'Angleterre, de la France ou de l'Espagne : c'est le système dit de la *runaway production* (production déserteuse), qui suscite de juteux contrats de coproduction, mais désole les fidèles de *Movieland* et provoque l'ire des syndicats.

Le mouvement culmine avec les grands péplums des années soixante, dont, singulièrement, *Ben-Hur*,

Paradoxe : tandis que Hollywood se délocalise en extérieurs et en Europe, Billy Wilder tourne en studio un Paris imaginaire (*Irma la Douce*, 1953), avec la collaboration d'Alexandre Trauner, le chef décorateur français du «réalisme poétique» des années trente. En page de droite, la grande star du nouvel Hollywood, Elizabeth Taylor dans *La Chatte sur un toit brûlant* (Richard Brooks, 1958).

Plus vraie que nature, cette rue de Paris est un pur produit des studios de Hollywood.

le *remake* du film de 1927, lequel avait déjà été tourné partiellement (ce fut un fiasco) à Rome. Sur 250 films produits en 1961 par Hollywood, 90 le sont à l'étranger.

Nouvelle donne, nouveau «stardom»

L'écroulement du *studio system* et la poussée de la télévision ont entièrement redessiné le paysage hollywoodien : désormais, les producteurs indépendants tiennent le haut du pavé, et les stars s'intéressent de plus près à leurs contrats, conscientes d'être maîtresses du marché. Voici venue l'heure de gloire des agents. Il s'ensuit une inflation jamais vue du cachet des vedettes. Walsh se lamente : «On devait payer des acteurs comme Elizabeth Taylor et Richard Burton un million

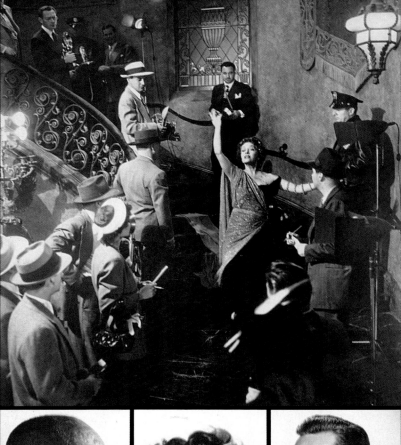

S*unset Boulevard*
(Billy Wilder, 1950)
est à sa manière le
testament cruel du
Hollywood classique.
Non seulement le récit
est mené en voix *off*
par... un noyé, Joe
Gillis (William
Holden), devenu le
gigolo et l'esclave
d'une étoile déchue
du muet, Norma
Desmond (Gloria
Swanson), avant de
finir entre deux eaux,
dans une piscine de
star. Mais encore
le film organise la
rencontre à l'écran
de Swanson et de von
Stroheim (dans le rôle
du chauffeur fidèle de
l'ex-vedette), un quart
de siècle après leur
légendaire dispute.
Fable noire, il décrit
un monde entré en
démence, celui du
cinéma classique. Il
malmène, enfin, la
forme de religiosité
morbide qui sommeille
en tout bon cinéphile.

de dollars pour quelque trois mois de travail. Ce fut probablement le coup le plus rude qui fut porté à l'industrie cinématographique. Il devint dès lors impossible financièrement de construire de grands décors, et de nombreux extérieurs durent être éliminés. On fut obligé de n'engager que des acteurs de second plan, dont les salaires étaient bas. On réduisit l'embauche des figurants de 75 %. Tout le monde souffrit de cet état de choses, sauf les stars.»

A côté de ces films sans stars, qui deviennent le tout-venant de la production restée sur place (et les ancêtres des séries télévisées), une nouvelle espèce d'acteurs apparaît : celle des vedettes venues de l'Actor's Studio, école fondée en 1947 à Broadway par Elia Kazan, apôtres d'un nouveau style de jeu et de rapport au public ; l'ère des James Dean, Marlon Brando, Ben Gazzara, Paul Newman est ouverte. L'inflation des cachets n'a d'égale que celle du *star system* nouveau.

Boulevard du crépuscule

La presse s'empare de Marilyn Monroe, la chasse au scandale est perpétuée par les magazines spécialisés : le très inquisiteur *Confidential*, aux méthodes parfois douteuses, propulse l'Américain moyen sous le lit des idoles. Dans le registre le moins noble, on se presse autour des dépouilles de James Dean, de Marilyn, de Jane Mansfield ; c'est la curée : gros plan obscènes des tôles déchiquetés, des barbituriques sur la table de nuit, du sang sur l'alsphate.

Les superproductions sont tournées hors des Etats-Unis. Le nouveau cinéma indépendant américain se fait à New York, non plus sous le soleil de Californie.

De Howard Hawks à John Huston, Marilyn Monroe (ici, tournant *Les Désaxés*) chercha en vain à sortir du rôle de blonde pulpeuse et stupide qu'on lui avait fixé.

Une page est tournée, une de plus : c'est la fin sans cesse recommencée d'un monde que Billy Wilder avait immortalisé en 1950 dans l'inoubliable *Sunset Boulevard*. La cité des rêves n'est-elle plus que cette vieille star décatie, dévorée par la nostalgie ?

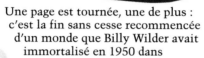

Le retour des «wonder boys»

Alors qu'on aurait pu se laisser aller à penser que le cinéma américain de qualité, désormais, se faisait uniquement à New York (chez un Woody Allen ou un Scorsese), une nouvelle génération d'Hollywoodiens, formés dans les écoles de cinéma et par la fréquentation des classiques, apparaît à la fin des années soixante-dix (après la grande période du film-catastrophe) et marque profondément les années quatre-vingt.

Sa légendaire *Fureur de vivre* (1955) fit de lui un *Géant* (1955). Idole de toute une jeunesse désenchantée qui aimait le voir brûler sa vie, James Dean et ses rêves d'adolescent s'abîmèrent dans un amas de tôles froissées. Le syndrome de la mort de Valentino frappait à nouveau Hollywood.

Lucas et Spielberg sont des cinéastes qui connaissent le cinéma et ses canons : privilégiant le spectaculaire et les effets spéciaux, ils redonnent vie à un style de superproduction qui pousse à nouveau le public vers les salles. Après *Les Dents de la mer* (1977), *La Guerre des étoiles* et *Rencontres du troisième type*, sortis la même année, fracassent le *box-office*, en attendant *E.T.*, les épisodes suivant de l'épopée stellaire de Lucas ou la saga d'*Indiana Jones*. Les nouveaux *wonder boys* multiplient citations et références : leur cinéma est un cinéma hollywoodien de l'après-Hollywood, qui vit en partie de l'entretien du mythe. 1977, l'année de *Jaws* – la nouvelle n'est pas de peu d'importance –, est celle du lancement des premières vidéo-cassettes et du début de la vulgarisation du magnétoscope.

Le énième souffle

La course au *box-office* est à nouveau ouverte, les firmes luttant pour l'établissement de nouveaux records, pulvérisés avec régularité pendant la décennie quatre-vingt : de 1970 à 1978, la fréquentation repasse de 753 millions à 1 milliard 200 millions de spectateurs, et se stabilise à un haut niveau pendant les années quatre-vingt. Les lois du succès semblent retrouvées.

Véritable laboratoire de recherche, mélange d'artisanat et de haute technologie, les ateliers de Lucas et Spielberg sont à la pointe des effets spéciaux. De *La Guerre des étoiles* (1977), qui redore spectaculairement le blason de la Fox, à la série des *Indiana Jones*, chaque plan est dessiné avant d'être tourné et ce *story-board* compte autant que le script. Un nouveau système de production est né, qui renoue étrangement avec la magie des pionniers du cinéma.

Dans un tout autre genre, mêlant personnages de *cartoon* et humains, *Qui veut la peau de Roger Rabbit ?* (Zemeckis, 1988) est lui aussi, un miracle technique.

Le règne des *sequels (Rambo I, II, III, ad libitum...)* s'ouvre, et Hollywood semble concentrer ses efforts vers le public des *teen-agers* (bien que la Walt Disney Productions, maîtresse du film pour public en culottes courtes, ait depuis peu ouvert une branche «pour adultes», la Touchstone Pictures, qui accumule les succès).

Film de synthèse (à tous les sens du terme), *Roger Rabbit*, à la manière des *all-stars pictures* des années trente, réunit l'ensemble de la tribu du *cartoon* hollywoodien, des idoles de Disney aux grands noms de la Warner, pour un éloge qui est loin d'être funèbre. Ex-*wonder boys* de la réalisation, nouveaux producteurs, agents tout-puissants et stars (fussent-elles d'encre et de gouache) redonnent vie au mythe hollywoodien.

L'Empire contre-attaque

Une nouvelle fois, Hollywood renaît de ses cendres : mais sous quelle forme ? Ce nom n'est-il plus qu'une coquille vide dissimulant une impitoyable lutte financière et industrielle pour le contrôle du marché mondial de l'image ?

Les années soixante-dix et les premières années quatre-vingt furent celles de la survie immédiate (on pariait tout, ou presque, sur le succès de films-phares, tels *Love Story* en 1970 ou *Le Parrain* en 1972) et des opérations de bourse américano-américaines : on se souvient du rachat de United Artists par la M.G.M., après l'échec colossal de *Heaven's Gates*, de la mainmise du roi du pétrole Marvin Davis sur la Fox, de la prise de contrôle de Coca-Cola sur la Columbia.

En dix ans, à l'aube des années quatre-vingt-dix, le marché s'est internationalisé, et une nouvelle forme de concentration a remplacé l'antique *studio system*, tout aussi efficace. Il s'agit désormais non plus de contrôler les salles (il y a beau temps qu'elles ne représentent plus l'essentiel des profits du cinéma), mais l'ensemble de la chaîne qui mène de l'idée d'un film au magnétoscope de salon et au téléviseur sur lequel il sera visionné, à la bande vidéo elle-même, au compact-disque sur lequel sera numérisée sa musique originale ou au standard de haute définition

Au programme de la M.G.M. en ce torride été du milieu des années quatre-vingt (même Leo, le lion-mascotte, se prélasse sous son parasol), on remarque notamment *Poltergeist II* de Brian Gibson, *sequel* du film de Tobie Hooper, dans lequel un téléviseur trop captivant absorbait, au sens propre, une infortunée bambine.

télévisuelle qui sera peut-être demain celui du monde entier. Comme si Zukor, en son temps, avait non seulement possédé les films et les salles, mais encore conçu et fabriqué lui-même la pellicule, les bobines, l'optique, le projecteur, la toile de l'écran, et jusqu'au pinceau de lumière transmettant le film à l'écran... Jamais le processus d'intégration d'un média n'a atteint une telle ampleur.

Le tournage ruineux des *Portes du paradis* (*Heaven's Gates*, 1980) catapulta Michael Cimino au panthéon des cinéastes maudits.

De Hollywood à Wall Street... via Tokyo

Sony possède la Columbia, Matsushita la M.C.A. (Universal), le groupe australien News Corp. veille à la destinée de la Twentieth Century Fox, et M.G.M.-United Artists, après être passée, au terme d'un accord financier qui restera légendaire, aux mains de l'Italien Paretti, est à l'heure où nous écrivons ces lignes au cœur d'une formidable bataille juridique. On s'échange les catalogues de droits des films de l'âge d'or, qui, colorisés par ordinateur et remontés au goût du jour, connaîtront une neuvième vie. Les enchères montent : la Columbia avait coûté au géant japonais Sony six milliards de dollars. Fin 1991, le groupe Toshiba se déclarait prêt à mettre un milliard de dollars dans le rachat de 12 % du groupe Time Warner... Bataille de chiffres vertigineux, dont on ne connaît guère l'issue possible.

Après une sortie new-yorkaise aussi désastreuse qu'éphémère, United Artists retira prestement le film de l'affiche pour diffuser une version écourtée.

L'usine à rêves est l'enjeu mondial d'un combat de titans. On se dispute les logos des temps héroïques, le rugissement du lion de la Metro, les projecteurs entrecroisés et les roulements de tambour de la Fox, la déesse au flambeau de la Columbia, le blason de la Warner. Producteurs, stars et agents de la nouvelle génération nourrissent toujours les pages glacées des magazines, tandis que les vétérans, chassés de Movieland depuis les années soixante, l'un après l'autre, mettent en boîte leur dernier et pathétique fondu au noir, après un ultime rêve de film jamais

Dans le parc d'attractions d'Universal, le gadget est roi (ici, un badge aimanté voué à un frigo du Dakota). Rappelons que l'accueil du public dans les coulisses du studio remonte à l'inauguration d'Universal City, en 1915 !

tourné,
une interview
de plus au bord d'une
piscine à l'eau décidément
trop bleue, une dernière
anecdote livrée au public ému
d'un festival d'outre-Atlantique.

La ville musée

Auprès des cinéphiles du monde entier, la ville
conserve cependant intact son pouvoir de fascination.
Plus de huit millions de visiteurs accomplissent
chaque année le pèlerinage sur le lieu de la légende,
épiant les traces d'une splendeur révolue. L'enseigne
géante en lettres blanches, érigée à flanc de colline
en 1923, avait perdu de sa superbe (à la fin des années
trente «Hollywoodland» est devenu «Hollywood»
tout court, par suite d'une dégradation), mais,
restaurée, elle veille toujours sur la cité des rêves.

Au touriste pressé, Hollywood Boulevard exhibe
son lieu culte, le Théâtre chinois de Sid Grauman.
Sur le trottoir avoisinant, les stars ont
laissé leurs empreintes de mains ou de
chaussures, donnant au visiteur
l'illusion de marcher sur leurs pas.
Tandis que les plus recueillis se
rendent au cimetière, le temps de
saluer la mémoire de Tyrone Power ou
de Rudolph Valentino, les plus frivoles
prennent les chemins des studios
d'Universal et de leur
gigantesque parc
d'attractions où ils
peuvent rencontrer,

Mary Pickford
et Douglas
Fairbanks furent
les premiers
à laisser leurs
empreintes sur
le trottoir du
Théâtre chinois
(en haut).

à travers des décors soigneusement conservés, quelques créatures «maison», de King-Kong au requin des *Dents de la mer*. En sortant de ce Lunapark pour cinéphiles en herbe, l'amateur mieux renseigné s'en va flâner sur les pentes de Bel-Air ou de Beverly Hills dans l'espoir d'apercevoir la villa de son étoile préférée. Au besoin, un petit garçon mexicain, à la croisée des chemins, lui propose pour un dollar une carte des *famous star homes* propice aux rêveries du cinéphile solitaire.

Le mythe a survécu aux morts successives du phénix hollywoodien. Quant à son devenir, plutôt que d'avancer un jugement, il semble plus sage de citer une des phrases que Samuel Goldwyn aimait à répéter aux faiseurs de projets : «Vous ne valez que ce que vaut votre prochain film.»

Sur Sunset Boulevard, William Holden et Gloria Swanson, échappés du film de Billy Wilder, saluent les visiteurs du soir : la légende, comme souvent dans l'histoire de Hollywood, le dispute à la réalité. Pola Negri, plus que jamais, avait raison : «Hollywood n'est pas une ville, c'est un état d'esprit.»

TÉMOIGNAGES
ET DOCUMENTS

Chroniques d'un monde à part

Royaume de l'imaginaire, patrie rêvée de plus d'un cinéaste, Hollywood fait, depuis les années trente, partie du «grand tour» obligatoire des hommes de plume et de caméra. Même s'ils l'évoquent au quotidien, leur admiration est souvent proche de la vénération. Pour ceux qui restent, l'enthousiasme tombe rapidement. Hollywood a fait couler beaucoup d'encre.

Sur les boulevards de Hollywood

A l'arrivant, Hollywood offre un double dépaysement : ville-champignon à l'américaine, elle affiche ostensiblement sa vocation et sa raison sociale : le cinéma. Maurice Leloir, journaliste parti sur les traces de Douglas Fairbanks, décrit ses surprises d'Européen dans Cinq mois à Hollywood.

En arrivant de France à Los Angeles, on est désorienté par l'immensité de cette ville qui couvre toute une contrée. Le centre de Los Angeles, vraiment ville serrée et populeuse, ressemble à toutes les villes américaines, hérissée de buildings genre New York, gratte-ciels néanmoins plus modestes, ressemblant à d'immenses ruches carrées. Cette ville s'étale en verdoyant sur 30 ou 40 kilomètres jusqu'à la mer. Ses faubourgs immenses s'appellent Passadena, Hollywood, Berverly Hills, Venice, Long Beach. San Pedro est le port d'où l'on peut, comme à San Francisco, s'embarquer pour l'Europe en passant soit par la Chine, soit par Panama. Hollywood a un centre de luxe, boulevard avec grands magasins, quelques buildings, mais rares. Les maisons à Hollywood, sauf sur le boulevard, ne se touchent pas, sont même encore par places fort clairsemées. La plupart ressemble à de jolies petites constructions pour enfants en carton, et cet aspect n'est pas trompeur, car c'est bien le carton qui fait ici le fond du bâtiment comme des décors de cinéma. Ça ne dure guère que dix ans et encore grâce au climat. On abat ce château de cartes et on en fait un autre, voilà tout. [...]

S'il n'y a pas de piétons, c'est dans les rues, avenues, promenades et chemins, car sur Hollywood Boulevard, il y en a le soir presqu'autant que sur nos boulevards parisiens. Comme les magasins, tout en fermant à 6 heures et demie, gardent leur étalage éclairé fort tard dans la soirée, chacun, après dîner, va faire son tour de boulevard et nous faisions comme les autres; en sortant du restaurant français Musso-Franck, nous allions fumer des cigarettes et contempler les devantures. Il y avait parfois une animation extraordinaire, c'était les jours de première.

Maurice Leloir,
*Cinq mois à Hollywood
avec Douglas Fairbanks*, Peyronnet, 1929

Les remparts de la ville sainte

Parvenu aux portes du saint des saints, le visiteur se heurte aux murs d'une véritable forteresse, qui sont aussi, pour Cendrars, des barrières symboliques. Paul Morand, au crépuscule, se laisse aller à une rêverie paradoxale.

Le courant d'intérêts et d'enthousiasme humain déchaîné par le cinéma est devenu si menaçant pour Hollywood que Hollywood a dû prendre des mesures de défense inhumaines et disproportionnées pour endiguer ce délire entretenu par sa propre publicité, et c'est pourquoi tout n'est pas que bluff dans ce cercle vicieux. Car le mur qui entoure chaque studio n'est pas seulement un mur symbolique, comme on pourrait le croire, un mur qui sépare la vie du rêve, le pays de la réalité d'un monde imaginaire, c'est aussi et véritablement un mur de pierres, sur les

deux faces duquel se joue une double tragédie, typiquement américaine à cause du drame qui éclate dans une escadre d'épisodes souvent du plus haut comique. (Si vous avez déjà été frappé par la méchanceté et la férocité qui se dégagent souvent des films comiques américains vous comprendrez aisément que ces films, même les plus fous et les plus accélérés, s'inspirent directement de la réalité et de la vie, et que leur affabulation et leur *tempo* sont dus à une observation profonde, donc vraie.)

A l'extérieur de l'enceinte, des flots d'hommes viennent battre le pied du mur et s'échouer à la porte des studios; à l'intérieur, des êtres illustres, célèbres certes, mais de chair et de sang, et captifs des studios, esclaves, et dont beaucoup ne rêvent qu'à se libérer, ne demandent qu'à sortir, qu'à vivre.

Sauf peut-être à Monte-Carlo, il n'y a pas de ville au monde où l'on se suicide autant qu'à Hollywood dans les milieux de ciné, – et c'est aussi en ce sens que,

malgré sa matérialité, l'enceinte est tout de même un mur symbolique : l'entrée qui la perce n'est comparable à nulle autre pareille puisque les studios où elle donne sont l'usine aux illusions et que cette usine de renommée mondiale est pour beaucoup un temple.

Blaise Cendrars,
Hollywood, la Mecque du cinéma,
Grasset, 1936

Panoramique

Au loin, on voit Beverly Hill, et sur
     la droite
la *Metro Goldwyn*, puis *Paramount*
avec sa moitié de paquebot au-dessus
     de la ville
qui garde du soleil dans ses soutes
à l'heure où toute la plaine est déjà
     dans l'ombre.
On est bien, à cause du voisinage de
     la mer;
on pense à toutes les jeunes filles belles,
     en province,
qui se donneraient, pour être ici,
aux jeunes gens du monde entier
     qui se croient des *sheiks*,
bref à tous ceux qui ne savent pas
qu'un studio, c'est ce qui ressemble
     le plus
à une administration soviétique.

Paul Morand, *USA, Album de
photographies lyriques*, Plaisir du
bibliophile, 1928

Perte d'identité

Comme beaucoup d'écrivains devenus scénaristes, Scott Fitzgerald *met son parcours hollywoodien en roman. Et rappelle que l'instant de l'arrivée n'est jamais un plaisir, face aux cercles très fermés de la société locale. Raymond Chandler n'est guère plus tendre avec les mœurs et la conception du cinéma qui priment à Hollywood.*

– Moi, j'aime Hollywood.

– Ce n'est pas mal. Une ville minière au pays du lotus. De qui est la formule ? De moi. Hollywood, c'est bien pour les durs, mais moi, j'ai débarqué là venant de Savannah, en Géorgie. Je suis allé à une garden-party le premier jour. Mon hôte m'a serré la main, puis il m'a abandonné. Tout était là – la piscine, la mousse verte à deux dollars le centimètre carré, les beaux félins qui buvaient et s'amusaient... Et personne ne me parlait. Personne. J'ai adressé la parole à une demi-douzaine d'invités qui ne me répondaient pas. Ça a duré une heure, deux heures, puis je me suis levé du coin où j'étais assis et je me suis enfui au petit trot comme un fou. J'ai eu l'impression d'être dépouillé de toute identité légitime jusqu'au moment de mon retour à l'hôtel, où le réceptionniste m'a tendu une lettre qui m'était adressée à mon nom.

Francis Scott Fitzgerald,
Le Dernier Nabab, 1941,
Gallimard, 1976

L'ennui

C'est facile de détester Hollywood, d'en sourire ou d'en faire la satire. Certaines de ces meilleures satires ont été faites par des gens qui n'avaient jamais franchi la porte d'un studio, ou par des génies solitaires qui s'en sont allés fâchés – sans oublier de toucher leur dernier chèque – ne laissant derrière eux que l'arôme exquis de leur personnalité et un travail saboté que leurs nègres devaient mettre en forme. Cette maladie de l'exagération, on la trouve jusqu'à New York, où Hollywood s'imagine que vivent les gens vraiment intelligents [...].

Je ne défends pas Hollywood. J'y travaille depuis un peu plus de deux ans, et ce n'est pas assez pour faire de moi une autorité sur ce sujet, mais c'est suffisant pour en être vraiment las. Cela ne devrait pas être le cas. Une industrie aux possibilités aussi vastes et aux techniques si extraordinaires ne devrait pas devenir ennuyeuse si vite. Un art capable de rendre toutes les pièces, sauf les meilleures, vulgaires et compliquées, presque tous les romans verbeux et rabâchés, ne devrait pas paraître lassant si rapidement à ceux qui essaient de la pratiquer avec autre chose en tête que le tiroir-caisse. Au contraire, la fabrication d'un film devrait être passionnante. Il n'en est rien. C'est une lutte continuelle d'égoïsmes mesquins, certains violents, presque tous bruyants, et presque tous incapables de rien faire de plus créateur que le trafic d'influence et l'arrivisme.

Raymond Chandler,
Lettres, Christian Bourgois, 1970

Le temps des machines

En 1948, le cinéaste René Clair préface l'ouvrage de Robert Florey, Hollywood d'hier et d'aujourd'hui, *dont l'auteur, je journaliste et cinéaste, compte parmi les piliers de la colonie française à Movieland. C'est pour lui l'occasion de rappeler le lien ténu qui unit le réel et la légende.*

Tout ce qu'on dit d'Hollywood – et même les pires extravagances – est vrai ou peut l'être. Mais qui se fierait à ces seules anecdotes ne connaîtrait pas mieux Hollywood que le Parisien ne connaît la Provence s'il s'en tient aux dialogues de Marius et d'Olive. Le producteur ignare et tyrannique, la vedette égocentrique et capricieuse sont des personnages aux noms changeants, mais dont le caractère est le même depuis l'époque où Robert Florey est arrivé pour la première fois à Los Angeles après sept journées de train. Ce qui s'est modifié, c'est la règle du jeu cinématographique, vérité fondamentale que le public connaît moins bien que la légende qui la dérobe à ses yeux.

A l'âge de la découverte des terres inconnues a succédé celui de l'organisation industrielle. Les pionniers bottés ont fait face aux financiers à lunettes. Hollywood qui était autrefois une sorte de Foire aux Puces de l'image, pleine d'imprévu, de ridicule et de charme, est devenu pareil à un grand magasin bien ciré où se débitent d'un bout de l'année à l'autre des marchandises fabriquées en série.

La machine cinématographique est aujourd'hui bien réglée. Trop bien, sans doute. Il faudrait – aussi paradoxal que cela paraisse – qu'elle se déréglât quelque peu afin de mieux marcher. Ne prenez pas trop au sérieux cette réflexion qui émane d'un mauvais esprit. Nous entrons dans un âge où il ne faut pas plaisanter avec les machines.

René Clair, *in Hollywood d'hier et d'aujourd'hui*, Prisma, 1948

Les fantômes de Hollywood

Dans la ville, derrière les murs des studios, des dizaines de villes imaginaires, qui font de Hollywood une synthèse historique et géographique, la ville de toutes les expériences humaines, hantée par d'innombrables fantômes en celluloïd.

C'était en effet la cité la plus extravagante de la terre, où tout pouvait se produire et finissait toujours par arriver. Ici dix mille personnes avaient succombé à la mort avant de se relever en riant et de s'éloigner d'un pas nonchalant.

Des édifices entiers avaient été la proie des flammes sans pour autant se consumer. Toutes sirènes hurlantes, des voitures de police avaient foncé à l'angle des carrefours, et leurs passagers n'en étaient sortis que pour se dépouiller de leurs uniformes bleus, effacer à l'aide de crème démaquillante leur fond de teint ocre, puis rentrer dans les petits appartements de leur bungalows d'habitations au sein de la grisaille du vaste monde.

Par ici des dinosaures avaient rôdé, tantôt en réduction, tantôt se dressant, hauts de quinze mètres, au-dessus de virginales héroïnes dépenaillées et glapissantes. De là étaient partis de valeureux croisés qui s'en allaient accrocher leurs armures et ranger leurs lances au magasin des accessoires. Henry VIII avait ici fait couper quelques têtes. Là Dracula avait erré sous sa forme charnelle avant de retomber en cendres. On y trouvait aussi les Stations de la Croix arrosées d'un sang toujours frais, celui des scénaristes fourbus montant au Calvaire, le dos ployé sous le fardeau des pages retouchées, persécutés par les metteurs en scène aux fouets cinglants et les censeurs aux ciseaux affûtés comme des rasoirs. Et du haut de ces minarets les fidèles étaient conviés à se prosterner chaque matin au soleil levant, dans le sillage vrombissant des limousines aux vitres dissimulant des puissances anonymes, tandis que les manants détournaient le regard de peur de devenir aveugles.

Ray Bradbury,
Le Fantôme d'Hollywood,
Denoël, 1992

«A cinq ans, j'avais déjà envie d'embrasser Alice Faye»

Bien peu d'ouvrages possèdent la ferveur de Movieland *de Jerome Charyn. Nourri de culture cinéphilique, le romancier livre une évocation fiévreuse et lyrique de son immersion dans l'univers hollywoodien.*

Hollywood a été le premier village planétaire. Bien avant les jumbos jets et les communications par Telstar, le monde nageait avec Esther Williams, patinait avec Sonja Henie, dansait avec Ginger et Fred. Gary Cooper était plus connu, plus adoré que n'importe quel roi ou président. Que Clark Gable ne porte pas de chemise de corps dans *It Happened One Night*, et les marchands de sous-vêtements tremblaient en voyant baisser leur chiffre d'affaires. Les stars du cinéma américain n'avaient pas à se soucier de créer des modes, leur seule allure faisait frémir de délices la planète. Nous avons oublié à quel point toutes et tous étaient splendides. Barbara Stanwyck pouvait avoir été la maman de glace des années cinquante, la sorcière du western (*Cattle Queen of Montana, The Maverick Queen*, etc.), elle n'en paraissait pas moins belle et fragile en Stella Dallas. William Holden est devenu bourru et dur dans *Stalag 17*, mais il avait d'abord été le *Golden Boy* de Hollywood – c'était d'ailleurs le titre de son premier film. Gene Tierney a valsé de film en film pendant toute la guerre et cela me rendait malade de désir. On avait mal aux yeux à force de regarder Tyrone Power (l'un des premiers acteurs «féminins ») dans *Alexander's Ragtime Band*. A cinq ans, j'avais déjà envie d'embrasser Alice Faye. Si Louis B. Mayer déclarait hors la loi les sièges de W-C, s'il était parvenu à nous faire croire que les stars n'ont jamais besoin de pisser comme vous et moi, il avait aussi réussi à fabriquer une atmosphère idéalisée, un univers où les stars ne vivaient que pour l'amour. C'était cela, la marque de Hollywood, sa grandeur et sa quête absurde.

Jerome Charyn,
Movieland, Stock, 1990

Voix off

Ils sont innombrables, ceux qui ont fait le voyage d'Europe vers Filmland. Chacun de ces itinéraires est l'occasion d'une surprise, parfois de la reconnaissance d'une patrie d'adoption.

Sur l'écran en Cinémascope, les lettres géantes se détachent à flanc de colline, au milieu de la végétation rabougrie : Hollywood; comme une légende sous un dessin… Et tandis que la caméra s'élève, l'enveloppante musique d'un générique ouvre les vannes de l'émotion. Progressivement la musique s'efface pour être remplacée par des voix off. Celles de Roman Polanski : «Découvrir Hollywood, c'était toucher à la Terre promise !» De Milos Forman : «Je rêvais de Hollywood comme un joueur de tennis rêve à Wimbledon…» De Jean-Luc Godard : «Le pays du cinéma étant Hollywood, et mon pays étant le cinéma,

je suis le seul cinéaste américain en exil…» D'autres voix venues d'Europe se succèdent dans la célébration de Hollywood, avant que la musique ne les recouvre. Pas tant la ville réelle que la capitale de l'imagination où mènent tous les chemins de la fiction. Qui résisterait au chant des sirènes de la colline inspirée? [...]

«Hollywood, Hollywood ! Ville du rêve et du miracle, écrit Robert Desnos en 1927, tu n'es pas seulement belle par ton ciel et les légendes extraordinaires qui se perpétuent dans ton enceinte. Tu es belle par le tourment même de tes habitants, et la beauté de tes femmes n'est pas celle qui se fige dans les statues funéraires…» Ce à quoi, cinquante-cinq ans plus tard, semble faire écho la comptine de *L'Etat des choses*, le film de Wim Wenders : «Hollywood, Hollywood, y'a jamais rien eu de mieux au monde que Hollywood…»

Michel Boujut,
«Transatlantique»,
Europe-Hollywood et retour,
Autrement,
«Mutations», n° 79, 1986

J anvier 1938. Semblant tenir le double O de Hollywood, Ronald Reagan pendant le tournage du film de Busby Berkeley.

Hollywood au labeur

Le cinéma n'est-il qu'une industrie ? Rude question, à laquelle l'observation du fonctionnement de Hollywood inciterait à répondre par l'affirmative. Il est de bon ton de décrire l'usine à rêves comme on le ferait d'une usine de voitures... ou de mettre en boîte les producteurs. Mais au-delà, c'est toute l'activité d'artistes et d'artisans qui sous-tend le «studio system», la vie d'une communauté au travail qui se dévoile.

Une cité ouvrière

A Hollywood, on ne chôme pas. Nombreux sont les visiteurs qui s'étendent sur les paradoxes du business du rêve.

Hollywood exige l'idée fixe, comme l'exigerait toute autre ville qui serait aussi anormalement conçue qu'elle. On frémit en imaginant ce que serait l'existence d'une vaste cité uniquement peuplée de médecins, ou d'écrivains, ou de commerçants, ou d'inventeurs. Une vie sociale n'est respirable qu'en fonction de la diversité de ses cellules. Elle n'est harmonieuse qu'en proportion de sa souplesse, de sa richesse de formes, de sa multiplicité d'aspects. C'est pourquoi, condamné à marcher dans une seule direction, isolé dans l'univers, cloîtré dans un commerce exclusif, Hollywood s'étale au bord du Pacifique comme un bagne doré, factice et monstrueux.

Joseph Kessel,
Hollywood, ville mirage, Gallimard, 1937

Foule des travailleurs du cinéma se rendant au travail dans les ateliers M.G.M. (1940)

King Vidor, qui compta parmi les Hollywoodiens de l'âge d'or, se souvient des méthodes de travail de la première des firmes à avoir «taylorisé» son fonctionnement : le studio Universal des années vingt.

Fabrique de saucisses

Lorsqu'un metteur en scène terminait un film en fin d'après-midi, il n'était pas rare qu'il se rende à son bureau et, tout en essuyant la sueur de son front, envoie son assistant au département des scénarios où, sur le mur, était accrochée une rangée de cases portant les noms des metteurs en scène et contenant les scénarios au metteur en scène fatigué qui le mettait dans sa poche et l'emportait chez lui pour la nuit.

Le lendemain matin, le bureau de casting lui précisait déjà les noms des acteurs qui auraient à jouer, le département des décors lui donnait des

instructions sur les décors à utiliser; le département de la photo lui envoyait un cameraman : le tournage du film pouvait commencer, d'autant que la plupart des films étaient des courts métrages. Certains de ces metteurs en scène en savaient plus sur le travail à la chaîne que sur l'élaboration d'un film. C'était la méthode du fabricant de saucisses qui, heureusement, a fait long feu.

Tous les plateaux étaient à ciel ouvert et de grande dimension. On installait les décors côte à côte. De chaque côté du plateau courait une large passerelle, mise à la disposition des centaines de visiteurs quotidiens. Un bonimenteur de cirque était engagé pour escorter les visiteurs dans les studios, et il n'était pas rare, pendant le tournage de scènes dramatiques, d'entendre sa voix sonore de guide professionnel traverser le plateau et se mêler au grincement de l'orgue qui servait le jeu des acteurs. Les visiteurs payaient vingt-cinq cents par personne, ce qui permettait au studio de gagner des centaines de dollars par jour avec ce sous-produit gênant.

Quelques incidents humoristiques surgiront de ce système désordonné. Un jour, par hasard, deux copies du même scénario arrivèrent dans les cases de deux metteurs en scène et les deux films furent filmés en même temps, sur des plateaux différents. Quand l'erreur fut découverte, plusieurs chefs de service perdirent leur place. Mais les deux films furent en tout cas utilisés. L'un d'eux, avec un titre différent, fut retardé de plusieurs mois, puis mis en circulation. Ni l'exploitant ni le public ne remarqua qu'il s'agissait d'un duplicata, si habitués qu'ils étaient à voir toujours les même histoires, dont seuls changeaient les acteurs, les décors et la mise en scène.

King Vidor, *La Grande Parade*,
Jean-Claude Lattès, 1981

Le façonnage de Marlène

Tout comme les films, les stars se fabriquent. Le façonnage auquel est soumise l'aspirante vedette, souvent débaptisée, livrée à une armada de spécialistes, est un classique de la littérature hollywoodienne.

C'est le départ vers la gloire. D'un bond, voici Marlène à Hollywood, avec un gros contrat et la réputation toute fraîche que lui a donnée *l'Ange bleu*. Elle est maintenant la propriété commerciale d'une firme et il s'agit de lui faire rapporter le plus d'argent possible. Les spécialistes s'assemblent. Les spécialistes, c'est-à-dire le metteur en scène – toujours von Sternberg, attaché aux pas de son interprète – le scénariste, le costumier, le maquilleur, le coiffeur, le photographe, l'agent de publicité…

Le costumier dit :

– Pas assez mince. Huit kilos à perdre.

Le coiffeur dit :

– Pas assez blonde. Eclaircir de deux tons.

Le photographe et le maquilleur se mettent d'accord et prononcent à l'unisson :

– On la farde en pâle, avec des cils rajoutés.

L'agent de publicité déclare :

– Sa vie privée est trop bourgeoise. Un mari, un enfant : cela ne va pas. Il faut lui forger un roman.

Le metteur en scène approuve et le scénariste conclut :

– Quelques semaines de «travaux d'amélioration», et elle sera une femme fatale de première grandeur…

Quelques semaines de «travaux d'amélioration» et Marlène était méconnaissable. Amincie, passée au laminoir, la taille étroite, les jambes plus fines encore que naguère. Des robes de velours noir, des costumes brillants, collés à son corps. Le front dégagé, une auréole de cheveux clairs et souples, des yeux immenses sous les cils recourbés. Des mouvements lents, nonchalants et, dans le visage, devenu d'une merveilleuse beauté, une sorte de paresse pathétique, d'indifférence à la vie, de certitude blasée, de son pouvoir… La voici dans *Cœurs brûlés*, incroyablement belle, brûlant le cœur de Gary Cooper, brûlant d'amour elle-même et chantant des chansons qui ne valent pas celles de *l'Ange bleu*. Dans *X-27*, son dernier film, elle sera une espionne, une «wamp» [sic] sympathique. Pour que le film passe dans tous les pays du monde, on ne l'a plus fait chanter; vous n'entendrez plus sa voix. Mais son visage, son corps, magnifiés, assouplis, admirablement photographiés, suffiront à vous fasciner pendant deux heures. Comme de Greta Garbo, l'Amérique a fait de Marlène Dietrich une femme extrêmement, constamment belle, une grande actrice au jeu subtil, une femme fatale internationale, enfin, dont on ne discute plus ni le talent ni la beauté. Une «wamp» réussie.

Claude Doré,
Ciné-Miroir, n° 357, 5 février 1932

Pepper, félin vedette

A la vogue des enfants-stars se couple vite celle des animaux vedettes, que la presse se complaît à rendre plus humains que nature.

Dans la loge de Louise Fazenda se trouvait le chat «Pepper», autre star des Mack Sennett Productions. Cet intelligent animal, qui a tourné plusieurs centaines de films, a horreur des acrobaties. On remarque un jour que, dès qu'un saut ou quelque exercice difficultueux se présentait, le chat refusait obstinément de l'exécuter. Comme Sennett tenait à son chat, lequel joint l'intelligence à la photogénie, il décida de lui donner un «double» (tout comme à Tom Mix), pour les exercices dangereux. Pepper ne manifesta aucune jalousie, attendu que son nom est seul montré sur les affiches. Pepper adore vagabonder dans la loge de Louise Fazenda, car elle a toujours toutes sortes de gourmandises pour lui, il aime aussi rester dans les loges des figurants, car les souris s'y pressent nombreuses, mais Mack Sennett ne lui en donne plus l'autorisation, depuis le jour où un des extras, qui n'avait aucun respect, même pour un chat-star, lui attacha une vieille boîte de conserves au bout de la queue…

Robert Florey, 1926,
Les Editions d'Aujourd'hui, 1984

En studio ou en extérieurs («on location»), la colonie des artisans du film fait du plateau une ruche bourdonnante, mais scientifiquement organisée. Le moindre baiser déplace une armée de collaborateurs affairés.

L'armada des techniciens

Les studios n'ont ni architecture ni décoration aucune. Les Américains, gens pratiques, suppriment tout ce qui ne peut être utile. Ces énormes carapaces ont comme les tortues une ossature interne. L'intérieur est garni de toute une charpente à échelles verticales et le

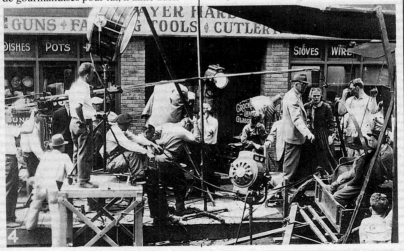

plafond d'une multitude de praticables formant un enchevêtrement fort curieux. [...]

Des armées d'ouvriers sous la direction des architectes décorateurs y travaillent sans cesse. C'est un labyrinthe de solives, planches, tuyaux, cordes, fils de fer. On se perd entre une chambre de torture, un salon Louis-Philippe, un palais chinois, une salle du trône Louis XIV, le pont d'un vaisseau, une gorge de montagnes, un village tahitien, une chapelle de couvent, un glacier des Alpes. Tout ce qu'on peut tourner à l'intérieur se fait dans le studio. Seuls les décors d'extérieur vastes, rues, places, paysages importants sont édifiés dans les terrains libres [...] Rien d'amusant dans ces «locations» comme les à-côtés. C'était une longue caravane de camions automobiles portant l'un le matériel des repas, d'autres les projecteurs, les chevaux, les carrosses. Ensuite venaient les cars des machinistes, des électriciens. Les artistes arrivaient tout costumés et maquillés dans leurs autos respectives. Des autobus amenaient coiffeurs et coiffeuses, maquilleurs, secrétaires, figurants. Et quel spectacle pittoresque que celui d'un autobus conduit par un correct wattman à casquette plate, bondé de mousquetaires aux moustaches en crocs, de dames de la cour en grand décolleté, de bandits en loques, de religieuses voilées qu'une abbesse munie de sa crosse conduisait en fumant des cigarettes.

Maurice Leloir, *Cinq mois à Hollywood avec Douglas Fairbanks*, op. cit., 1929

La parade du baiser

Voici l'énumération des cinquante personnes dont la présence est indispensable pour prendre le gros plan d'un baiser qu'un jeune couple d'amoureux échange, mettons dans une clairière et se croyant... enfin seuls!

«Donne-moi vite un baiser, chérie!» dit le jeune homme, et la jeune fille lui donne ses lèvres chastement, langoureusement, passionnément, gourmande, surprise, effarouchée, avec hésitation ou avec fougue et transport, etc.

Il faut pour enregistrer cette scène banale et minuscule, mais qui a son importance dans le film puisque c'est peut-être pour voir cela que des millions et des millions d'autres couples s'attardent tous les soirs au cinéma et que Will Hays, le dictateur, le tsar américain de la censure cinématographique

chambre, un habilleur professionnel ou une habilleuse, un maître-maquilleur; deux commissaires aux vivres pour apporter et servir le déjeuner de tous; un chauffeur pour la camionnette des commissaires, sept chauffeurs pour les voitures de location de la troupe, un chauffeur pour le camion du groupe électrogène, un chauffeur pour le camion des électriciens, un chauffeur pour le camion du son.

Faites l'addition, nous voici arrivés à cinquante.

Vous croyez qu'il n'y a plus personne autour de notre couple d'amoureux et vraiment vous allez dire que j'exagère si j'ajoute encore quelqu'un?... Mais si, il y a encore quelqu'un, et qui se fait du mauvais sang, et qui trouve qu'on lambine trop, et que ça traîne, et que ce n'est jamais ça, que ce baiser...

— Voyons, mes enfants, pressons, pressons, mettez-en un bon coup pour une fois, dépêchons!...

C'est le *producer* qui mâchonne rageusement son cigare en pensant à la folle dépense que ce baiser occasionne et à l'immense recette qu'il peut faire... et si ce n'est pas le *producer* en personne qui est là, c'est son frère ou son neveu, ou encore toute sa famille, sa femme et les amies de sa femme...

Blaise Cendrars, *Hollywood, la Mecque du cinéma*, Grasset, 1936

mondiale, ce Quai-d'Orsay aux trois cents ambassades, est intervenu personnellement et à plusieurs reprises auprès des grandes firmes pour la réglementer et minuter la durée du baiser, il faut donc la présence : d'abord des deux artistes; puis, ont besoin d'être là : un metteur en scène, deux assistants du metteur en scène, deux «script-girls», secrétaires du metteur en scène; deux opérateurs de prises de vues, deux assistants des opérateurs [pour porter la caméra], un photographe; trois machinistes, deux accessoiristes, un peintre; quatre électriciens, un chef électricien, trois mécaniciens aux génératrices; un ingénieur du son, dit mixeur, un opérateur au micro, un assistant au micro [pour porter l'appareil], un enregistreur du son [isolé dans sa cabine]; deux doublures pour les artistes; un valet, une femme de

Edited by
WELFORD BEATON
THE
FILM SPECTATOR
15 CENTS PER COPY
Published In Hollywood Every Other Saturday
Vol. 3   Hollywood, California, August 6, 1927   No. 13

The Story of the Box-Office
By NORMAN WEBB
─◦─
Producers should keep their hands off production.
─◦─

Le producteur au travail

*De l'idée initiale à la première,
l'élaboration du film est souvent un
parcours complexe, et un conflit de
compétences permanent. Dans tous les
cas, c'est le tout-puissant producteur,
soumis à des pressions et lubies de toutes
sortes, qui a le* final cut. *Hypothèse noire
du scénariste Ben Hecht : et si
Hollywood, par manque d'imagination
de la part de ces autocrates, ne faisait,
inlassablement, que répéter le même film
à la manière d'un perpétuel palimpseste ?*

90 % des producteurs que j'ai connus
n'étaient pas intelligents. Ils étaient aussi lents et aussi peu compétents pour
inventer une histoire qu'un banquier ou
un conducteur d'autobus. Après avoir
expliqué pendant vingt ou trente ans aux
scénaristes ce qu'ils devaient écrire, ils
étaient aussi ignorants que s'ils avaient
été des profanes.

Le résultat de tout cela, ce fut le film
de Hollywood. Ce fut un salmigondis,
résultat de semaines de disputes stupides
entre producteurs et scénaristes, parfois
de trois à six scénaristes, mais avec
toujours le même génie paradant sur son
trône. C'est sur lui que comptaient les
patrons pour «avoir l'histoire».

Guidé par le producteur, le film de
Hollywood devint une histoire unique.
Toutes les grandes scènes, dont le
producteur se souvenait,
réapparaissaient, film après film. Et ce
produit de Hollywood avait un seul but
immuable, il devait prouver que, dans un
monde où règnent les vilains et les
escrocs, la vilenie est impuissante. La
vertu, pourvu que son tour de poitrine
soit suffisant, finit toujours par vaincre.

Ben Hecht, «Hollywood, ce cadavre» in
Cinéma 59, n° 37, juin 1959

Hammett..? J'achète!

Parmi ces producers *tyranniques, David O'Selznick reste célèbre pour les «mémos» dont il inondait littéralement ses collaborateurs(le pouvoir d'une firme se mesure aussi à sa facture de télégrammes).*

18 juillet 1930

Nous avons l'occasion de nous assurer la collaboration de Dashiell Hammett avant qu'il ne parte à l'étranger dans les trois mois.

Hammett a récemment fait sensation dans les milieux littéraires en donnant deux livres à Knopf, *Le Faucon maltais (The Maltese Falcon)* et *La Moisson rouge (Red Harves)*. A mon avis, c'est un nouveau Van Dine – en fait, il a plus d'originalité que Van Dine et pourrait bien se révéler le créateur de quelque chose de neuf et d'étonnamment original pour nous.

Je conseillerais qu'on lui fasse faire une histoire policière pour Bancroft... Hammett a été détective privé pendant de nombreuses années avant d'écrire...

Hammett n'est pas gâché par l'argent, mais, d'un autre côté, il tient à ne pas se lier par un contrat à long terme. J'espérais que nous pourrions l'avoir pour quelque quatre cents dollars par semaine, mais il affirme en gagner le double avec ses livres et les nouvelles qu'il donne aux journaux, et je suis enclin à le croire, dans la mesure où sa vogue ne cesse de croître.

Jusqu'ici, j'ai proposé, pour tâter le terrain, l'arrangement suivant :

Quatre semaines à 300 dollars chacune. – Une option de huit semaines au même salaire. – Et une prime de 5 000 dollars pour un scénario original.

David O' Selznick
Cinéma-Mémos
Ramsay, 1984

Bergman mesurerait plus d'un mètre soixante-seize; est-il possible qu'elle soit aussi grande et croyez-vous qu'il faudra mettre Leslie Howard sur un escabeau ?
(Texte du télégramme envoyé le 18 mars 1939 par Davis O'Selznick à Mlle Katharine Brown)

Etre et paraître : la vie quotidienne des dieux de l'écran

Comment vit-on dans la ville du cinéma? Les stars sont-elles anges ou démons? De la légende à quelques sordides réalités, du drugstore aux boîtes de nuit, des tics langagiers aux dépressions nerveuses, un manuel abrégé de savoir-survivre parmi la colonie des Hollywoodiens.

La bonne besogne

A Hollywood, on l'a dit, on ne s'amuse guère... telle est du moins l'opinion de Robert Florey, démentie par une abondante littérature consacrée aux orgies de Hollywood. Qui croire?

Hollywood est une ville composée uniquement de travailleurs; on y abat de la besogne et de la bonne besogne et l'activité dans les studios commence quelquefois avant six heures du matin, pour finir souvent très tard dans la nuit. Chacun travaille à son poste et, dans les studios, on ne perd pas son temps.

Du reste, croyez-vous que les distractions abondent aux Etats-Unis? Ce serait une grave erreur de le croire. Il y est interdit de boire, même du vin ou de la bière, et c'est bien dur en plein été de ne disposer que d'un verre d'eau lorsqu'on a très soif... Les «gamblings» (jeux d'argent) sont également interdits et les policemen n'hésitent pas à arrêter les «boys» qui jouent aux dés... C'est défendu.

Il y a bien des choses qui sont défendues encore... et si, par hasard, vous devenez amoureux de quelque gentille femme et qu'elle partage votre «flamme», le mieux que vous ayez à faire sera de vous marier immédiatement, si vous ne voulez pas attirer sur vous le courroux des policemen et les foudres de la justice...

Robert Florey,
Deux ans dans les studios américains,
op. cit.

Pulsions primaires

Le manque total d'imagination des habitants de Hollywood leur fait matérialiser leurs désirs sous l'angle le plus simple : boire, manger, dormir, faire l'amour, mais non pas l'attendre; ici on vit trop vite pour cela, ou du moins on existe trop vite, car vivre est un terme impropre appliqué à Hollywood!

La partie satisfait en bloc à tous ces désirs. C'est une réunion de femmes et d'hommes réunis sous l'égide de l'alcool et on voit couramment un «Roméo» en bras de chemise, la ceinture du pantalon tombant au-dessous du bas-ventre, hurlant de sentimentales chansons négro-américaines en s'accompagnant du «ukulele» de rigueur ou de l'invariable gallon de gin où il puise son inspiration. Plus loin c'est un suave adolescent ou un vieillard (pour l'américaine parfumée au whisky il n'y a pas de différence) dépoitraillé et vautré sur le tapis, tenant d'un bras un cruchon d'alcool et de l'autre une blonde Juliette complètement saoule.

Et les baisers alternent du gallon à la femme et par l'intermédiaire de la femme, de l'homme au gallon. On ne sait lequel est le plus aimé. C'est l'expression parfaite du ménage à trois américain.

C. Meunier-Surcouf, *Hollywood au ralenti*, Librairie Félix Alcan, 1929

Manières de table

Le ballet de la vie mondaine est savamment réglé. Un seul impératif : être vu, se montrer. Lieux privilégiés : les restaurants, night-clubs et cafés.

A Hollywood – on ne le répétera jamais assez – il fallait à tout prix se faire voir, être omniprésent, c'est pourquoi les restaurants créés dans les années vingt ont rapidement joué un rôle de premier plan dans la vie mondaine. Les principaux se trouvaient sur Hollywood Boulevard. Le Montmartre, appartenant au Belge Eddie Brandstatter, fréquenté dans la semaine par les metteurs en scène et les impresarios, était particulièrement renommé pour ses déjeuners du samedi au cours desquels les vedettes les plus en vue tenaient à faire part de leurs projets aux camarades et amis. Le Henry's était un rendez-vous de stars également coté. Il était du bon ton d'y avoir sa table et même d'y converser familièrement avec une des serveuses de l'établissement. Le patron, Henry Bergman, ami et collaborateur de Charlie Chaplin qui l'avait fait tourner dans bon nombre de ses films, était une des figures les plus populaires de Hollywood et chacun tenait à être considéré par lui comme un ami. Le Musso-Frank, primitivement appelé Frank's, rassemblait les amateurs de cuisine française et pouvait se vanter d'être le seul restaurant de la région à offrir à ses habitués du vrai pain français.

L e Grauman's Chinese Theatre en 1931, pendant la Première de *Morocco*.

François Toulet, le maître de céans, avait coutume de réserver plusieurs tables exclusivement pour les Français de la colonie cinématographique. Acteurs et techniciens s'y retrouvaient plusieurs fois par semaine et les célibataires y prenaient tous leurs repas du soir. Le French Café, tenu par des Provençaux à l'accent sonore, accueillait, lui, tous les Français de seconde zone, les figurants à la recherche d'un engagement, les anciens chasseurs de restaurants parisiens ou chauffeurs de maître dont les cartes de visite et les fiches signalétiques comportaient le plus souvent des titres usurpés, «ancien ténor de l'Opéra» ou «ex-pensionnaire de l'Odéon».

Les acteurs de complément, originaires d'Espagne, d'Italie ou de Yougoslavie, aimaient eux aussi l'atmosphère européenne et provençale du French Café. Enfin, de nombreux soupers de vedettes étaient organisés à La Taverne, au coin de Hollywood Boulevard et de Cahuenga Avenue, établissement géré par le frère d'un sportif connu, G. De Palma.

Charles Ford,
La Vie quotidienne à Hollywood,
Hachette, 1972

Dans les pharmacies

Autre lieu important du Hollywood des années vingt, chanté en d'autres lieux par Trénet : le drugstore, point nodal d'une société encore réduite.

Je me sentais complètement plongé dans l'atmosphère du cinéma américain. Les artisans du film, accompagnés pour la plupart de très jolies jeunes femmes, venaient au «drug-store» boire un soda, acheter des cigares ou tenter leur adresse au bowling et au base-ball mécanique. A vrai dire, il n'y avait pas grand'chose à faire le soir à Hollywood. Les deux cinémas du boulevard changeaient leur programme une fois par semaine, et montraient des films déjà présentés en ville. D'ailleurs, les cinéastes étaient trop fatigués pour se rendre à Los Angeles, et préféraient flâner sur le boulevard, ou encore aller jouer aux cartes les uns chez les autres. De temps à autre, ils allaient passer une heure sur la digue de Venise, à la fête foraine de Santa-Monica, dont les attractions ne se renouvelaient cependant pas assez souvent. Toutes les heures, un tramway descendait vers la ville et des automobilistes complaisants s'arrêtaient au coin de la Western, offrant un «ride» aux gens désireux de se rendre à Los Angeles.

Robert Florey, *Hollywood d'hier et d'aujourd'hui*, op. cit.

Parlez-vous le hollywoodien ?

Léo C. Rosten compte, dans l'immédiat après-guerre, parmi les premiers ethnologues d'Hollywood, et étudie l'une des principales caractéristiques de cette étrange tribu : sa langue.

Hollywood pense et parle au superlatif. Les gens de cinéma ne se contentent pas

R amon Novarro
vers 1930

d'«aimer» quelque chose, ils «en sont dingues». Quelque chose ne leur déplaît pas, ils en ont horreur, ils la détestent. Génial, terrible, colossal, stupéfiant s'appliquent à n'importe quoi, broche en filigrane ou séisme dévastateur – à moins que ce ne soit, en prenant un parti inverse, chou, chouette, ou chic. Dans le langage comme dans le comportement, Hollywood révèle un effort acharné pour conjurer le doute grâce à l'enthousiasme auto-induit. L'usage abusif d'adjectifs tels que «terrible» ou «sensationnel» fait tomber le vocabulaire, aussi inexorablement que la monnaie, sous une sorte de loi de Gresham : l'expression superlative chasse l'expression sobre. C'est le sens de l'anecdote qui fait se rencontrer dans la rue deux producteurs. «Comment marche votre dernier film?» demande le premier. «Très bien.» «Pas mieux que ça? Dommage!»

Hollywood, on l'a dit, dort, mange, pense et parle films. Or, le fait remarquable c'est que ce n'est pas aux films qu'on s'intéresse au premier chef, mais à la fabrication des films. On ne raffole que d'une chose dans la tribu du cinéma : parler métier – et c'est une matière captivante, bourrée de dilemmes piquants, de personnalités étonnantes. Mais on ne s'intéresse pour ainsi dire pas au film en tant que tel, à la force d'intervention qu'il peut avoir dans la société. Une explication à cela réside peut-être dans le malaise qui s'empare de Hollywood dès lors qu'il est question de théories. Les gens qui font des films se fient à leur flair et non à la logique ; ils travaillent à partir d'impressions plutôt que d'analyses. Et il est bien normal qu'ils courtisent l'intuition et fuient le raisonnement systématique : dans l'une ils sont des maîtres, dans l'autre des ignares. […]

Lorsque la conversation hollywoodienne abandonne le chapitre du métier, c'est pour se complaire dans le ragot et l'anecdote. Conversation et ragots sont synonymes dans la tribu. Les salaires et les querelles, les projets et les amourettes de tous les généraux et de la plupart des lieutenants de l'armée de la production sont reçus comme une manne par une ville qui se gorge de commérages et vibre à la moindre rumeur de contrat ou de baiser, d'option ou d'abandon, de carrière ou de débâcle.

Le commentaire sur les films n'a pas de fin, pas davantage que l'intérêt qu'il suscite. Rien ne ressemble plus aux propos de plateau que la conversation d'après-dîner : il s'agit toujours de problèmes de scénario, de problèmes de production, de nouveaux films, de vieux films, de ce qu'a dit Goldwyn et ce que Curtis n'a pas fait, de qui travaille où, des têtes qui sont tombées à la Paramount, du grand chambardement à R.K.O. et, par dessus tout, de qui fait quoi avec, pour ou à qui. Pas de formule plus courante et qui vous titille davantage que : «J'ai entendu dire…»

Le commérage, à Hollywood comme à Waco, est une forme déguisée et admise de calomnie.

Les anecdotes malveillantes, principal article non commercial d'exportation, compensent, au bénéfice de ceux qui les propagent, le défaut de reconnaissance sociale ou de pouvoir. Railleries et insinuations servent de soupapes de sûreté à l'envie et à la frustration. Entre gens de cinéma on parle aux uns et aux autres des uns et des autres et on s'infecte mutuellement du virus doucereux de la rumeur.

Léo C. Rosten,
Hollywood, The Movie Colony, The Movie Makers, Harcourt and Co, 1941, traduction Daniel Blanchard

Maladie professionnelle

Comme toute population de travailleurs, la colonie hollywoodienne a sa maladie professionnelle bien à elle : la dépression nerveuse.

Il y a une chose qui pend au nez de tout le monde, à Hollywood, c'est d'être, un jour ou l'autre, la proie d'une dépression nerveuse. J'ai connu des producteurs de films, qui n'avaient pas eu une seule idée en dix ans et qui, néanmoins, se sont, un beau matin ou un beau soir, brusquement effondrés, tels des génies surmenés. […]

La vérité est que cette activité qui consiste à faire des films, bien que ne réclamant de l'esprit que peu d'efforts, est, de toutes les entreprises humaines, la plus dangereuse pour le système nerveux. Si l'on mettait cinquante mille personnes à fabriquer jour après jour des bulles de savon – et que le monde entier critiquât sans répit les cinquante mille bulles, parce qu'elles les font trop grosses, ou trop de guingois, ou trop biscornues – on obtiendrait médicalement de semblables résultats. Non point que les films soient des bulles de savon, mais il y a quelque chose dans la manière dont ils se font et dans celle dont ils disparaissent, qui à Hollywood, vous donne l'impression que vous perdez mystérieusement votre temps – et que, non moins mystérieusement, vous n'utilisez pas vos vrais talents. Le secret de cette hallucination, c'est qu'au pays du cinéma les égos se développent comme des champignons et qu'ils finissent par devenir tellement gros que rien – ni la gloire, ni la fortune, ni l'amour des femmes les plus belles du monde – ne suffit à les satisfaire.

Ben Hecht, *Je hais les acteurs,*
10/18, U.G.E., 1983

Hobbies de stars

Les magazines traquent la vie privée des acteurs, dont les hobbies, parfois, détonnent avec l'emploi habituel des vedettes.

Etudier l'art dramatique est une chose, mais étudier l'acteur et la femelle de l'espèce en est une autre. On n'aurait pas besoin de les étudier du tout si, par-dessus tout, cette forme d'art n'était pas dominée par eux : il faut bien se familiariser avec le matériau qu'on est obligé d'utiliser. Ils ne sont pas simples, et ne sont pas tous les mêmes, pas plus qu'un être humain ressemble à un autre, et eux-mêmes font des efforts frénétiques pour contrebalancer l'impression qu'on a d'eux.

   L'homme qui joue le rôle du gangster collectionne des terres cuites de la dynastie des T'ang. Celle qui joue à merveille les femelles excitées vit dans une cellule monacale, et à la moindre transgression, s'administre la pénitence comme une nonne. Le coureur de jupons international qui roucoule des mots

Le temps d'une brasse, deux vedettes aux destins croisés : le nageur Johnny Weismuller, champion olympique à peine recruté par la M.G.M. pour devenir *Tarzan-l'homme-singe* (1932), et Buster Keaton qui, depuis la fin du muet et son entrée à la Metro, «plonge» progressivement.

d'amour enflammé et séduit toutes les femmes est impuissant. Le comique capable de faire crouler de rire toute une salle n'est pas drôle du tout à la maison le jour où il s'aperçoit que le type qu'il a fait venir pour ramoner la chaudière ne s'est pas contenté de ça. Celle qui a succédé à Hélène de Troie au royaume du celluloïd se gave d'œufs brouillés. Le noble héros qui parle à n'en plus finir d'honneur et d'idéal est un alcoolique à l'haleine puante. Le mécène qui aide la grande musique ne sait pas faire la différence entre l'échelle chromatique et un escabeau de peintre en bâtiment. Celui qui passe pour le plus éloquent des hommes est incapable d'aligner une seule phrase sauf s'il la lit en détachant chaque son comme s'il mâchonnait du caviar.

Joseph von Sternberg,
De Vienne à Shangaï, les tribulations d'un cinéaste, Flammarion, 1989

Les sirènes de Babylone

Ragots, échos, scandales font et défont les stars, qu'ils soient orchestrés par les services de presse des studios ou qu'ils leur échappent totalement. Il n'y a guère de limites aux «coups» publicitaires, assenés sur une formidable caisse de résonance à l'échelle mondiale. Mais quand le vent du scandale commence à souffler, la machine s'emballe et rien ne peut plus l'arrêter.

La publicité, vers 1920, surprend encore l'étranger par ses outrances. Mais les stars, elles, ne se formalisent guère, et constituent sereinement leurs revues de presse, même quand les titres tonitruants des gazettes annoncent leur disparition, leurs problèmes amoureux ou... leur décès. Sans cette publicité dévorante, que serait la légende de Hollywood aux yeux du monde?

Manchettes en folie

Tout bon journal n'existerait pas sans la publicité, aussi elle est considérable dans les *papers* américains, mais le bluff y règne en maître!

Nos bons amis les publicistes américains «ezagèrent» un peu, et un reporter marseillais lui-même serait certainement étonné des choses prodigieuses qui se passent en Amérique, du moins au point de vue publicité cinématographique.

Il ne s'écoule pas de jours que les journaux quotidiens ne sortent des éditions spéciales, avec des manchettes énormes qui tiennent au moins le quart de la page et rédigées ainsi : «Notre Bebe Daniels a failli être assassinée!!!»; «Rudolph Valentino bigame est arrêté!!!»; «Jackie Coogan ravi par des inconnus!!!»; «Mabel Normand à la mort!!!»

Lors de mon arrivée à Los Angeles, je croyais naïvement aux avertissements de ce genre.

C'est avec une parfaite insouciance que j'accueille maintenant les colossales manchettes de la presse californienne.

Un jour, alors que je suçais pacifiquement le chalumeau qui trempait dans ma citronade, un flot de camelots sur motocyclettes, déborda sur le Hollywood Boulevard, je me précipitais et apprenais que la charmante Bebe

Daniels avait failli être assassinée!!! Une troupe de *moving-Picture* qui tournait un extérieur devant une banque de Hollywood Boulevard, ne s'émut pas autrement de cela et Gill Pratt qui dirigeait, me donna une tape sur l'épaule en me disant : «Sacrés journalistes, vous n'en ferez jamais d'autres!...»

Sans perdre un moment, je saisis mon appareil photographique et je me rendis chez Lasky, puis chez Realart Studios et enfin chez la jolie étoile... Et voilà ce que j'appris après trois quarts d'heure de transpiration forcenée :

«Un inconnu avait téléphoné à la police qu'un autre inconnu, caché dans le salon de Bebe Daniels, attendait l'arrivée de cette dernière pour la tuer. Immédiatement, des automobiles de police se rendirent sur les lieux et l'on trouva un nommé Caprice, je crois, qui attendait Bebe Daniels. «Vous voulez tuer Bebe?», lui demanda-t-on. Telles les carpes de Fontainebleau il resta muet. On l'arrêta. Un peu plus tard, il déclara qu'un inconnu (oui encore), l'avait chargé de tuer Bebe Daniels, moyennant une certaine somme, etc. Trois éditions spéciales se succédèrent pour lancer cette horrible nouvelle. Bebe Daniels reçut de nombreuses visites d'amis et de connaissances, les journaux publièrent ses plus récents portraits sur des pages entières... J'ai marché jusqu'à la gauche, et... voilà.»

Un autre jour me trouvant au *Western Telegraph*, des camelots vinrent hurler des éditions spéciales. Cette fois-ci, c'était l'ami Valentino qui trinquait. On l'accusait de bigamie et d'un tas d'autres choses et les rédacteurs en veine de copie, ajoutaient que le «briseur de cœurs» Valentino, gisait à l'heure actuelle et depuis le matin sur la paille humide des cachots (air connu). Telle une flèche, je m'affirme avoir vu

Valentino dans la matinée. Je cours chez Armstrong, le restaurant d'Hollywood Boulevard, où je rencontre chaque jour l'élégant Rudolph et je le trouve assis près de Thomas Meighan. Il venait d'acheter une feuille annonçant son arrestation.

«Dites que l'on ne m'a pas arrêté, car si cela était je le saurais, je pense...»

Robert Florey, *op. cit.*

Ce qui fait rire Garbo

Le bruissement doux des palmiers froissés par le vent de mer entrait par la fenêtre ouverte.

«Une nouvelle sensationnelle vient de bouleverser le monde du cinéma : G.G. est-elle morte? Plusieurs journaux étrangers affirment solennellement qu'ils savent que Garbo est morte, qu'ils ont découvert sa tombe, sur laquelle, chaque jour, des mains pieuses portent des fleurs. Mais cette mort, une catastrophe pour la M.G.M., aurait été tenue secrète, et Géraldine Dvorak, le double de Greta, continuerait à jouer ses rôles. Ce

serait même la raison pour laquelle cette dernière vivait en recluse et refuserait de recevoir les journalistes, dans la crainte que l'un d'eux, plus perspicace que le public, ne dévoilât la ruse.» […]

«On nous annonce de Paris que Greta Garbo a été reconnue un dimanche aux courses d'Auteuil. Bien que se dissimulant dans la foule, la belle artiste a été vite reconnue et acclamée par un nombre toujours grandissant d'admirateurs. Mais, modeste, elle s'est dérobée à ces manifestations de sympathie. On ne sait encore combien de temps elle restera dans la capitale.» […]

«Ramon Novarro amoureux de Greta Garbo. C'est la sensation que Hollywood discute en ce moment. Ils viennent de terminer Mata Hari et, tout le temps que dura le film, on vit dans la loge de Greta une gerbe de roses accompagnées de vers écrits par Ramon, de sa fine écriture idéaliste. Et la sauvage Garbo paraît s'être humanisée au point de déjeuner avec son partenaire, de prendre le thé dans sa loge, de répéter avec lui les scènes qu'ils doivent jouer ensemble, chose à laquelle la belle étoile n'avait jamais consenti. […] On dit aussi que…» Le journal froissé fut jeté par une main impatiente, tandis qu'un rire profond, un peu rauque, secouait G.G., renversée sur ses oreillers.

Il est dans la maison une règle immuable : chaque matin, on apporte à Greta tous les journaux, magazines et revues qui parlent d'elle. Avant de se lever, elle les lit attentivement. Les articles les plus intéressants sont envoyés à ses parents, en Suède, et elle jette avec indifférence les critiques qui lui déplaisent. Puis, dans une collection secrète, elle range toutes les métaphores les plus folles qu'elle a inspirées : miroir des étoiles, sphinx d'Hollywood, reflet de braise dans un lac dormant, flamme blanche, musique glacée, mystère du silence, essence de l'aube, etc., et en les lisant, elle rit de ce rire déconcertant, à la fois ironique et amer, qui semble lui raper la gorge et surprend chez elle, que l'on représente toujours lointaine, enfermée dans son rêve nordique et inhumain. […]

Genova, *Ce qui fait rire Greta Garbo*, in
Ciné-Miroir, n° 365, 1er avril 1932

Pendant les obsèques les affaires continuent

Il n'est cependant pas rare que les frontières de la bienséance et du bon goût soient pulvérisées par cette soif de publicité et de scandale, qui n'épargne rien ni personne. Et lorsque la tragique réalité rejoint l'imagination débridée des agents, toutes les cartes se brouillent.

Une anecdote savoureuse me fut contée par un témoin de l'enterrement de Rudolph Valentino.

Le cercueil était exposé dans le salon du «Funeral Department». Une assemblée des plus choisies parmi laquelle figuraient les plus grandes «stars» de Hollywood se livrait à des conversations mondaines dont le ton n'aurait pas été déplacé dans un «five o'clock» à Beverly Hills.

Tout à coup, le directeur des pompes funèbres (et en même temps fabricant de cercueils) réclama le silence et exprima à l'honorable compagnie le plaisir qu'il aurait à livrer à ceux qui le désiraient pour la somme de X dollars un cercueil de même qualité que celui-ci, et il caressait du bout de sa baguette d'ivoire, celui de Valentino, espérant que les amateurs sauraient apprécier la qualité du travail et la valeur de la marchandise, etc., etc.

L'Amérique est le pays de Mark Twain; l'humour y est très

vraisemblablement naturel, et personne ne pensa à s'étonner de cette façon de comprendre les affaires : une petite publicité n'est-elle pas toujours bonne quel que soit le moment où on a l'occasion de la faire ? Et il n'y a que le résultat qui compte.

C. Meunier-Surcouf,
Hollywood au ralenti, op. cit.

Mauvais goût

En décembre, Howard Hughes et H.B. Franklin se sont vu décerner «l'oscar du mauvais goût»; ils ont en effet réservé des panneaux publicitaire dans tout Hollywood pour annoncer l'ouverture de leur nouvelle salle de trois cents places : «Vingt-six hommes ont trouvé la mort pour que le nouveau Hughes-Franklin Theater puisse ouvrir» et faire également la promotion du premier film qui est projeté, *The Viking*. Toute vérité n'est pas toujours bonne à dire, même en matière de publicité. Vingt-six personnes avaient effectivement disparu quand le bateau utilisé dans le film avait explosé et coulé pendant le tournage. Les affiches furent retirées.

T. Wilkerson, M. Borie,
La Mémoire de Hollywood,
Ergo Press, 1989

Disparition annoncée

Carole Lombard, une semaine durant, se prête au jeu, et travaille au service Publicité de la firme de Selznick. Elle y comprend les lois fondamentales de cet art difficile.

Au cours du déjeuner, Birdwell dévoila ses batteries. Il avait un plan pour le lancement du film. Carole Lombard se rendrait en avion à New York pour la première, mais – là était le truc – l'avion

R udolph Valentino sur son lit de mort (1926)

I cannot realize that he is now the famous Harold Lloyd. He is just my little boy, eternally questioning, eternally playing, eternally smiling into the friendly faces of a million glad hearts. . . . Above, Harold is seen with his bride, *née* Mildred Davis, and also his erstwhile leading lady. At present Harold and Mildred are living in one of the Hotel Ambassador bunga-

Harold Lloyd symbolise tout le contraire du scandale. Marié, fidèle, incarnant des héros à l'optimisme imperturbable, il fait, encore en 1923, l'émerveillement de sa vieille maman : «Il est resté mon petit garçon, toujours prêt à jouer, toujours le sourire aux lèvres pour des millions de cœurs joyeux…»

se poserait quelque part en pleine campagne et serait porté disparu. Birdwell se faisait fort d'entretenir le suspense pendant au moins douze heures.

– Et pendant ces douze heures, les gars, nous serons en première page de tous les journaux d'Amérique ! Pas seulement le nom de Carole Lombard, mais le titre du film et le nom du cinéma où il sort ! Vous vous rendez compte de cette publicité gratuite ?

– Et puis après ? demandai-je.

– Après quoi ? Eh bien, on les retrouvera quelque part dans la campagne, le pilote et elle, et ils raconteront qu'ils sont tombés en panne, une avarie de moteur, je ne sais quoi, on prendra un conseiller technique, que la radio s'est cassée, ce qui fait qu'ils n'ont pas pu envoyer de message… enfin, quoi, c'est pas une idée extraordinaire ?

Carole se tapa sur les cuisses en se tordant de rire :

– Je vais mourir ! Je vais mourir !

Elle paraissait prête à cautionner cette histoire de fous. [...]

Je vécus une semaine infernale. Puis les dirigeants de la R.K.O. mirent leur veto à ce funeste projet.

Uniquement parce que ça aurait coûté trop cher.

Deux ans plus tard, quand je vis aux éventaires des marchands de journaux l'édition spéciale annonçant sa mort dans un accident d'avion, je crus entendre le rire de Carole, et sa voix : «Je vais mourir ! Je vais mourir !» J'espérai stupidement qu'il ne s'agissait que d'un gag publicitaire de mauvais goût. J'espérais de toutes mes forces. Mais c'était vrai.

Cela se passait le 16 janvier 1942.

T. Wilkerson et M. Borie, *op. cit.*

Les lois de la publicité

La littérature à scandales connaît des best-sellers, tel le Hollywood Babylon *de Kenneth Anger, inédit en France, qui ne*

prend pas de gants dans l'exhibition des
tares et des vices des dieux de l'écran.

A Hollywood, maintenant, tout le
monde ne parle plus que de promotion
et de publicité. Dans la capitale du
cinéma, on a enfin compris que la
publicité, notre moyen de
communication principal avec le reste du
monde, peut faire d'Hollywood l'endroit
le plus populaire de l'univers ou alors la
ville la plus haïe de la terre. Le même
raisonnement peut d'ailleurs s'appliquer
pour les gens qui y habitent. [...]

C'est dans les bureaux du service
publicité des studios d'Hollywood que de
nombreuses carrières ont été faites ou
défaites. Il y a là-bas, dans ces bureaux,
des hommes et des femmes dont les
décisions quotidiennes peuvent avoir une
influence déterminante sur le
développement de carrières de plusieurs
millions de dollars. Leur tâche c'est de
faire monter la valeur marchande d'un
comédien en distillant la bonne
information au bon moment, mais ils
peuvent aussi briser une carrière en
ayant une idée complètement idiote qui
peut anéantir des années de travail. Cela
me semble donc tout naturel qu'une star
se fasse un devoir de connaître tout ce
qui concerne la publicité et la promotion
de A jusqu'à Z. [...]

Tout d'abord ce travail ne consiste pas
uniquement à essayer d'obtenir le plus
de publicité gratuite possible. En fait, les
qualités d'un attaché de presse sont un
subtil mélange de journalisme, de
commerce, de diplomatie et de mise en
scène. Deuxièmement, ce n'est pas la
taille de l'espace qui compte et enfin il
est toujours préférable que l'on ne parle
pas de vous plutôt que d'avoir des
colonnes entières qui vous sont
consacrées mais qui sont peu flatteuses.

Ibid

«Violées par Robin des Bois!»

Les scandales hollywoodiens changèrent
de registre quand, en 1942, Errol Flynn
fut accusé de viol. Peggy Satterlee et
Betty Hansen, les filles en question,
avaient moins de 18 ans.

L'une disait avoir été violée à terre,
l'autre en mer. [...]

Quel que soit leur physique ou leur
âge, les femmes ne pouvaient s'empêcher
de courir après le magnétique Errol. Son
mariage orageux avec la suffocante et
bisexuelle Lili Damita prit fin en 1942.
Un soir de cette année-là, une scène
plutôt comique eut lieu dans le living de
la maison de Flynn, sur Mulholland
Drive. Un officier de police était venu
annoncer au matamore (qui aurait pu à
peu près emballer n'importe quelle
poulette qui pouvait lui plaire), qu'il était
sous le coup d'une accusation de viol.
Flynn dit qu'il ne savait pas qu'une tel
animal existait. On lui expliqua qu'un loi
californienne interdisait tout rapport
charnel avec une mineure, même
consentante : se laisser séduire par une
poule en sous-âge pouvait vous coûter
cinq ans de ballon.

Les flics avaient ramassé Betty
Hansen, une jeune fille, pour
vagabondage. Parmi plusieurs
intéressants articles en sa possession, on
avait trouvé le numéro de téléphone de
Flynn et de son copain Bruce Cabot
(celui qui avait sauvé Fay Wray de King
Kong). Betty prétendait qu'après une
partie de tennis avec les deux, elle avait
participé à une swim and sex party. Elle a
dit que Flynn s'était déshabillé mais avait
gardé ses chaussettes. [...] Les
manchettes (non seulement aux USA,
mais tout autour du monde)
proclamèrent : «Robin des bois accusé
de viol!»

K. Anger, *Hollywood Babylon*, 1975

Hollywood aujourd'hui

On évoque la fin sans cesse recommencée de Hollywood depuis la crise des années cinquante. Et pourtant… Enjeu de formidables batailles économiques, cœur de l'industrie du loisir et des communications, Hollywood n'a rien perdu, d'une restructuration à l'autre, de son aura : quelle que soit l'origine des capitaux investis, c'est bien là que demeure le centre planétaire de la production cinématographique.

La transformation de Hollywood

Les grandes mutations des années soixante-dix quatre-vingt redistribuent les cartes de la profession : en 1982, dans un numéro «américain» des Cahiers du cinéma, *on peut dresser un premier bilan de ce Monopoly géant.*

Activité fébrile, à Hollywood, depuis quelque temps : tout d'abord, Fox et Columbia, seuls parmi les grands studios parvenus à conserver leur indépendance, ont été rachetés. Le premier au printemps dernier par le milliardaire pétrolier Marvin Davis; le second par Coca-Cola, qui vient de faire une offre telle «qu'on ne peut la refuser», selon l'expression des hommes d'affaires américains. Quant à United Artists, on se souvient qu'elle a été «absorbée» par M.G.M. il y a quelques mois à la suite, notamment, de l'échec retentissant de *Heaven's gate.* Par ailleurs les richissimes producteurs de comédies télévisées, Jerry Perenchio et Norman Lear, après avoir tenté de s'emparer successivement, depuis deux ans, de Fox, U.A., Columbia et Filmways, ont fait main basse, en janvier dernier, sur Avco Embassy. Enfin les patrons de Orion Pictures viennent de prendre le contrôle de Filmways, avec l'aide de certains partenaires financiers.

Pour tenter de comprendre ce qui se passe derrière toute cette agitation, il faut d'abord se souvenir qu'Hollywood est devenue la proie des hommes d'affaires, lorsque dans les années 60, cinq grands studios ont été rachetés par des trusts gigantesques : Universal, devenu en 1962 une «branche» de Music Corporation of America, énorme entreprise diversifiée dans les loisirs; Paramount, racheté en 1968 par Gulf and Western et United Artists l'année suivante par Transamerica Corporation,

holding s'intéressant surtout à l'immobilier et à l'assurance; M.G.M., passée en 1969 aux mains de Kirk Kerkorian, magnat de l'immobilier. Quant à Warner Brothers, détenu depuis 1969 par National Kinney Corporation, groupe spécialisé dans l'investissement immobilier, la finance et le loisir, il s'est débarrassé de cette tutelle en 1975, et fait maintenant partie de Warner Communications, groupe opérant dans les industries des loisirs. La transformation s'est encore accentuée dans les années 1970, lorsque le brusque renouveau du cinéma, inauguré en 1972 par le succès du *Parrain*, a redonné un second souffle aux grandes compagnies. Car les bénéfices énormes accumulés à cette époque ont été employés à des opérations de «diversification», Fox investissant par exemple dans des stations de loisirs, Warner dans des jeux électroniques.

Dans ce nouveau contexte, les majors n'ont plus grand-chose à voir avec les studios de l'âge d'or, et seule la persistance des noms, leur magie, entretient encore la confusion. On dit M.G.M. ou Warner, et on pense toujours comédies musicales ou films noirs, Fred Astaire ou Humphrey Bogart, Louis Mayer ou Jack Warner. Mais pour comprendre Hollywood aujourd'hui, il faut se débarrasser une fois pour toutes de ces merveilleux clichés, se persuader que les grandes compagnies sont maintenant des sortes d'empires des loisirs dans lesquels le cinéma n'est plus qu'un moyen et non plus une fin en soi. La mentalité moderne aidant, il n'est pas exagéré de dire que les films ne sont plus considérés que comme une source de profits potentiels.

Lise Bloch-Morhange,
in les *Cahiers du cinéma*,
1982

Le pouvoir des agents

Aux figures traditionnelles de la star (forcément capricieuse) et du producteur (forcément irascible et ignare) s'adjoint un intermédiaire qui désormais tient le haut du pavé : l'agent.

Un phénomène plus récent, et peut-être plus important, est celui de l'invasion de la production par les imprésarios. En effet, les vedettes ne pouvant pas se transformer en hommes d'affaires, en *executives* à part entière, leurs agents ont été amenés à prendre une part croissante dans la gestion de leurs intérêts et, donc, à s'intéresser eux-mêmes à la production. Malheureusement, la plupart d'entre eux, et notamment les plus jeunes, sont loin d'avoir la compétence, l'expérience professionnelle des grands producteurs traditionnels, qui, souvent, ont littéralement passé leur vie dans les studios. L'essentiel, pour ces nouveaux venus, c'est moins de faire un film que de monter une affaire : acquérir les droits d'un roman ou d'une pièce dans une jungle où la chasse aux *properties* est l'objet d'intrigues constantes, réunir des fonds, s'entendre avec un studio, mettre l'équipe sur pied, en général selon les goûts personnels de la vedette, etc. Mais là s'arrête le plus souvent l'activité de ces producteurs de bureau et de salon, incapables de prendre en main la production effective d'un film sur le plateau. De plus, leur manque de culture cinématographique, leur ignorance de ce qui se faisait avant leur entrée dans la profession, en un mot leur absence de perspective, limitent beaucoup leurs possibilités et tendent à leur nuire commercialement aussi bien qu'esthétiquement. Ainsi, à un réalisateur talentueux et expérimenté qu'ils connaissent mal parce qu'il appartient à une génération précédente, ils préféreront en général un homme de leur clan, de leur entourage, de leur génération, un homme avec qui eux et leurs vedettes peuvent s'entendre, et dont ils connaissent le travail. Certes, cette attitude favorise les nouveaux cinéastes, ce qui ne saurait être mauvais, mais le talent entre rarement en ligne de compte. Les cinéphiles qu'intriguent le silence de nombreux réalisateurs de talent et l'activité de nombreux médiocres en savent quelque chose. [...]

L'augmentation vertigineuse des salaires, et donc des budgets, est d'ailleurs une question brûlante. De nombreux membres de la profession rendent les agents responsables, au moins partiellement, de cette escalade. Les cachets d'un million de dollars ou plus étaient encore exceptionnels vers 1980. Ils atteignent et dépassent fréquemment les deux ou trois millions aujourd'hui. Sans parler des 7 millions obtenus par Harrison Ford pour le troisième *Indiana Jones*, des 8 millions payés à Jack Nicholson pour *Batman* (sans compter les pourcentages qui lui assurent des recettes de 40 millions de dollars), ou des incroyables cachets de Sylvester Stallone (12 millions pour *Over on The Top* – qui fut d'ailleurs un échec au box-office –, 16 millions pour *Rambo III*). Ce n'est certes pas l'inflation, modeste pendant toute la décennie, qui justifie une telle escalade – laquelle se répercute de haut en bas de l'échelle. D'autres critiques dirigées contre les agents viennent de certains talents eux-mêmes : si un acteur ou un réalisateur ne fait pas partie de l'écurie d'une des superagences (C.A.A., International Creative Management, William Morris), ses chances d'être choisi pour un film donné sont très faibles. Là encore, l'agence remplit une fonction naguère dévolue au studio. Les talents sont sous contrat avec l'agence comme ils l'étaient autrefois avec le studio; et le créneau disponible pour des indépendants est extrêmement étroit.

Au sein de la «nouvelle race de producteurs», il faut aujourd'hui mentionner, en plus des agents, les avocats, généralement *entertainment lawyers*, experts à rédiger les contrats les plus avantageux pour leurs clients et qui utilisent la connaissance des studios ainsi acquise pour s'y introduire; et, plus récemment, des *executives* venus de la télévision, lesquels, habitués à un média voué, presque par définition, à la médiocrité, ne sont guère susceptibles de prendre des risques avec des projets originaux.

J.-P. Coursodon et B. Tavernier,
Cinquante ans de cinéma américain,
Nathan, 1990

Décor de *Géant* (1956)

«Personne ne sait rien»

Le marché est imprévisible, et chaque film est un coup de poker obligeant les producteurs à jongler sans cesse. Ce qui fera d'un scénario proposé un bon film? Ce qui fera d'un bon film un succès au box-office ? Personne ne le sait.

Les directeurs de studios sont des hommes et des femmes intelligents et sauvagement surmenés qui ont au moins ceci en commun avec les entraîneurs de baseball : ils se réveillent tous les matins que Dieu fait avec la certitude que tôt ou tard ils seront congédiés.

Au bon vieux temps des grands studios, la situation était différente. Les Harry Cohn et les Louis Mayer comptaient bien ne dételer que quand ils le voudraient. Aujourd'hui, leurs successeurs sont soumis à un régime totalement différent : on exige d'eux des résultats tout de suite, sinon, qu'ils s'en aillent. Aujourd'hui, la valse des directeurs touche davantage de gens en un an que durant la totalité des décennies trente et quarante.

Cette pression à laquelle on les soumet, et qui ne cesse de monter, fait de chaque décision de lancer une production une torture – et c'est là d'ailleurs l'une des raisons pour lesquelles, à l'heure actuelle, personne à Hollywood ne veut faire de films : en juin 1982, on avait lancé exactement deux fois moins de productions qu'un an plus tôt.

La décision de lancer une production est de la dernière importance pour le directeur de studio. C'est lui qui est responsable de ce qui sortira sur l'écran. Or, outre l'insécurité de son emploi, ce qui vient encore compliquer le problème de cette prise de décision c'est ce fait, le plus décisif peut-être pour tout ce qui touche au cinéma :

Personne ne sait rien.

S'il doit y avoir dans ce livre une phrase à encadrer, c'est celle-là. […]

Au moment où j'écris ces lignes, *Raiders* est le quatrième plus grand succès de l'histoire du cinéma. Je ne me souviens d'aucun autre film qui ait eu autant d'atouts… Il était sorti plus ou moins du cerveau de George Lucas et il était mis en scène par Steven Spielberg, qui sont sans conteste les deux enfants prodiges du spectacle (*Star Wars* – La Guerre des étoiles –, *Jaws*, etc.) Tout le monde sait ça, certainement. Mais sait-on que *Raiders of the Lost Ark* a été proposé à tous les studios de Hollywood sans exception – et qu'ils l'ont tous refusé?

Tous sauf Paramount.

Pourquoi Paramount a-t-il accepté? Parce que personne ne sait rien. Et pourquoi tous les autres studios avaient-ils refusé? Parce que personne ne sait rien. Et pourquoi est-ce que Universal, le plus puissant d'entre tous les studios, s'est défaussé de *Star Wars*, décision qui pourrait bien lui coûter, une fois comptabilisées toutes les suites, les droits dérivés, et le produit de la vente des jouets, des livres et des jeux vidéo, personne, ni maintenant, ni jamais, n'a la moindre foutue idée de ce qui va ou ne va pas marcher au box-office.

William Goldman, *Adventures in the Screen Trade*, Warner Books, 1984, traduction Daniel Blanchard

Les Japonais saisis par Hollywood

1990 : les Japonais, massivement, investissent à Hollywood et s'offrent clés en main plusieurs studios. Ont-ils mesuré tous les risques de cette aventure ?

Depuis 1989, les investisseurs japonais ont pris des participations dans le cinéma américain à hauteur de 14 à 16 milliards de dollars. Les deux plus grosses affaires furent le rachat de Columbia par Sony (5 milliards) en septembre 1989 et la prise de contrôle des studios M.C.A./Universal par Matsushita (pour 7,5 milliards) en novembre 1990. Cette année, deux autres géants de l'industrie nippone, Itoh et Toshiba, ont pris une participation dans le groupe Time Warner moyennant un milliard de dollars, tandis que la banque d'affaires Yamaichi prenait un petit morceau de Disney pour 600 millions de dollars. [...]

«*En arrivant ici, les Japonais ne savaient rien de cette industrie*, résume un intermédiaire au centre de plusieurs grosses opérations nippo-américaines. *Ils ont commencé par découvrir le caractère cyclique de ce secteur. Le fait que la performance financière d'un studio ou d'une maison de production dépend des performances d'un ou deux films... et surtout que personne ne détient la recette miracle...*» Dans leurs pires cauchemars les financiers de Tokyo ou d'Osaka n'auraient pas pu imaginer un pareil casino financier. [...]

Les chiffres de l'industrie cinématographique ont de quoi affoler n'importe quel directeur financier : selon une étude, sur 160 films sortis sur une période de dix ans, 4 ont réalisé à eux seuls un tiers du chiffre d'affaires global : les 13 premiers films du classement atteignent plus de 50 % du total et les 147 autres se partagent la moitié restante. Tout studio ou maison de production est donc à la recherche du *jackpot* qui lui permettra d'éponger les inévitables bouillons. [...]

Pour comprendre, il faut se mettre un instant à la place d'un cadre japonais qui n'a connu qu'un environnement ultra-discipliné lorsqu'il se promène sur le *lot* de Culver City ou Burbank. Il y voit alors des armadas d'ouvriers bardés de protections syndicales travailler à un rythme d'escargot, construire (puis détruire) des décors hors de prix. Ils regardent les comptes : 24 millions de dollars en moyenne pour un film; des coûts de production qui atteignent couramment 200 000 dollars par jour. Tout cela pour des produits dont personne ne sait s'ils seront des échecs ou des succès. De quoi y perdre sa sérénité extrême-orientale. Et de quoi aussi déstabiliser une entreprise comme Sony dont la religion est basée sur une compression des salaires, une optimisation de la productivité, le consensus avec les syndicats...

Curieusement, il est une question qui n'effleure aucun des partenaires américains : les investisseurs japonais ne pourraient-ils pas avoir un jour envie de contrôler la teneur du message culturel diffusé? *«De l'expérience que j'ai*, estime Jonathan Dana, président de Triton Pictures, une firme contrôlée par le géant nippon de l'édition Kadokawa, *les Japonais qui siègent au conseil d'administration sont bien moins directifs que les Américains auxquels j'ai eu affaire dans le passé.»* Pour l'instant, partout à Hollywood, l'actionnaire nippon dort encore.

Frédéric Filloux, in
Libération, 17 novembre 1991

Le coucher du soleil

Le thème de la mort de Hollywood est presque contemporain de l'installation des cinéastes dans la ville, et a connu de beaux jours dès les années vingt... Raoul Walsh, nostalgique, évoque une autre de ces disparitions du phénix Hollywood, celle des premières années soixante.

Hollywood, la prestigieuse capitale du cinéma, avait été victime d'un étrange virement de bord. Les studios furent obligés de vendre des centaines de vieux films à la télévision. Finis, les grands terrains sur lesquels se dressaient les immenses plateaux; des milliers de gens étaient au chômage; le public américain voyait désormais du nu sur tous les écrans; puis la censure reprit le dessus et tous les films durent être passés au peigne fin.

Terminés, les galas, les magnifiques soirées, les prestigieuses premières où les stars descendaient de leur limousine à chauffeur devant le Chinese Theatre de Grauman, emmitouflées dans de somptueuses fourrures et revêtues des dernières créations de la mode parisienne ou londonienne. Il n'y a pas encore si longtemps, les starlettes débarquaient en veste de cuir et pantalon criard; par bonheur, cette mode sinistre a commencé à disparaître.

La fermeture des studios de la M.G.M. porta un coup fatal au cinéma; le lion ne rugirait plus. Il ne restait plus qu'une ville fantôme : Hollywood était mort. Comme le disait James Fitz Patrick à la fin de ses conférences : «Ainsi, tandis que le soleil décline doucement à l'ouest, nous quittons ce merveilleux pays de rêveurs.» Ce pays appelé Hollywood était une abstraction mythique sans frontières; c'était tout à la fois Manhattan, une partie du Nouveau-Mexique, la Sierra, Paris, Londres, les Alpes ou une orangerie aménagée à Los Angeles.

Raoul Walsh, *Un demi-siècle à Hollywood*, Calmann-Lévy, 1976

FILMOGRAPHIE

Si l'on peut dénombrer plus de 300 films qui prennent Hollywood pour cadre ou pour sujet, ils ne constituent pas à proprement parler un genre à part entière. En fait, les films consacrés à Hollywood empruntent à la plupart des grands genres existants, notamment à la comédie, au film noir et à la comédie musicale. Pour établir cette filmographie sélective, nous nous sommes limités aux 50 films qui nous ont paru les plus représentatifs.

On trouvera une filmographie plus complète, classée par genres, dans *Hollywood on movies, How Hollywood Sees Itself,* de Richard Meyers, Drake Publishers, New York, 1978.

A - B

– *Abbott and Costello in Hollywood*, S. Sylvan Simon, M.G.M., 1945, avec Bud Abbott, Lou Costello.
– *Abbott and Costello Meet the Keystone Kops*, Charles Lamont, Universal, 1955, avec Bud Abbott, Lou Costello.
– *Alex in Wonderland*, Paul Mazursky, M.G.M., 1970, avec Donald Sutherland, Ellen Burstyn.
– *Barton Fink*, Joël et Ethan Cohen, Prod. Joël et Ethan Cohen, 1991, avec John Turturro.
– *Boy Meets Girls*, Lloyd Bacon, Warner Bros., 1938, avec James Cagney, Pat O'Brien.

C

– *Chantons sous la pluie (Singin' in the Rain)*, Gene Kelly, Stanley Donen, M.G.M., 1952, avec Gene Kelly, Debbie Reynolds.
– *Charlot débute (His New Job)*, Charles Chaplin, Essaynay, 1915, avec Charles Chaplin, Ben Turpin, Gloria Swanson.
– *Charlot fait du cinéma (A Film Johnnie)*, George Nichols, Keystone, 1914, avec Charles Chaplin, Roscoe Arbuckle, Ford Sterling, Mabel Normand, Mack Sennett.
– *Comment on fait des films (How to Make Movies)*, First National, 1918, avec Charles Chaplin, monté dans son intégralité par Kevin Brownlow et David Gill en 1981.
– *Comtesse aux pieds nus, La (The Barefoot Contessa)*, Joseph Mankiewicz, United Artists-Figaro Inc., 1954, avec Humphrey Bogart, Ava Gardner.
– *Crépuscule de gloire (The Last Command)*,

Josef von Sternberg, Paramount, 1928, avec Emil Jannings, William Powell.

D - E

– *Déesse, La (The Goddess)*, Paddy Chayefsky, Columbia, 1957, avec Kim Stanley, Betty Lou Holland.
– *Dernier Nabab, Le (The Last Tycoon)*, Elia Kazan, 1977, avec Robert De Niro, Tony Curtis, Robert Mitchum.
– *Dernière Folie de Mel Brooks, La (Silent Movie)*, Mel Brooks, Fox, 1976, avec Mel Brooks, Marty Feldman, Dom de Luise.
– *Ensorcelés, Les (The Bad and The Beautiful)*, Vincente Minnelli, M.G.M., 1952, avec Lana Turner, Kirk Douglas.

G

– *Goldwyn Follies, The*, George Marshall, Goldwyn-United Artists, 1938, avec Adolphe Menjou, Vera Zorina.
– *Good Morning Babylonia*, Paolo et Vittorio Taviani, Filmtre-MK2-Pressman-RA 1 -Films A2, 1987, avec Joaquim de Almeida, Vincent Spano.
– *Grand Couteau, Le (The Big Knife)*, Robert Aldrich, United Artists, 1955, avec Jack Palance, Ida Lupino, Shelley Winters.

H

– *Hellzapoppin*, H. C. Potter, Universal, 1941, avec Ole Olsen, Chic Johnson.
– *Hollywood Boulevard*, Joe Dante et Allan Arkush, New World Pictures, 1976, avec Candy Wednesday, Mary Mc Queen.
– *Hollywood Canteen*, Delmer Daves, Warner Bros., 1944, avec John Garfield, Bette Davis, Joan Crawford.
– *Hollywood Hotel*, Busby Berkeley, Warner Bros., 1937, avec Dick Powell, Rosemary Lane.
– *Hollywood Speaks*, Eddie Buzzell, Colombia, 1932, avec Pat O'Brien.
– *Hollywood Story*, William Castle, Universal, 1951, avec Richard Conte, Julia Adams.
– *Homme sans visage, L' (The Preview Murder Mystery)*, Robert Florey, Paramount, 1937, avec Reginald Denny, Frances Drake.
– *Hôtel à vendre (Hollywood Cavalcade)*,

Irving Cummings, Fox, 1939, avec Alice Faye, Don Ameche.

J - L - M

– *Jour du fléau, Le (The Day of the Locust)*, John Schlesinger, Paramount, 1975, avec Donald Sutherland, Karen Black.
– *Liste noire, La (Guilty by Suspicion)*, Irwin Winckler, Warner Bros., 1991, avec Robert De Niro.
– *Machiniste, Le (Behind the Screen)*, Charles Chaplin, Mutual, 1916, avec Charles Chaplin, Edna Purviance, Eric Campbell, Henry Bergman.
– *Metteur en scène, Le (Free and Easy)*, Edward Sedgwick, 1930, avec Buster Keaton, Anita Page.
– *Mirages (Show People)*, King Vidor, M.G.M., 1928, avec Marion Davies, William Haines.

O - P

– *Once in a Lifetime*, Russell Mack, Universal, 1932, avec Jack Oakie, Sidney Fox.
– *Opérateur, L' (The Cameraman)*, Edward Sedgwick, M.G.M., 1928, avec Buster Keaton, Marceline Day.
– *Partie, La (The Party)*, Blake Edwards, Mirisch-Geoffrey-United Artists, 1968, avec Peter Sellers, Claudine Longet.
– *Passez muscade (Never Give a Sucker an Even Break)*, Edward Cline, Universal, 1941, avec W. C. Fields.

Q - S

– *Quatre de l'aviation (The Lost Squadron)*, George Archainbaud, R.K.O., 1932, avec Richard Dix, Mary Astor.
– *Sherlock Junior*, Buster Keaton et Roscoe Arbuckle (non crédité), M.G.M., 1924, avec Buster Keaton.
– *Silence, on tourne (Movie Crazy)*, Clyde Bruckman, Paramount, 1932, avec Harold Lloyd.
– *Something to Sing About*, de Victor Schertzinger, Grant National, 1937, avec James Cagney, Evelyn Daw.
– *Stand-in*, Tay Garnett, United Artists, 1937, avec Leslie Howard, Joan Blondell, Humphrey Bogart.
– *Studio Murder Mystery, The*, Frank Tuttle, Paramount, 1929, avec Fredric March, Neil Hamilton.
– *Sunset Boulevard*, Billy Wilder, Paramount, 1950, avec William Holden, Gloria Swanson, Eric von Stroheim.

T - U

– *Talk of Hollywood, The*, Mark Sandrich, Prudence-Sonofilms, 1929, avec Nat Carr, Fay Marbe.
– *Une étoile est née (A Star is Born)*, George Cukor, Warner Bros., 1954, avec Judy Garland, James Mason
– *Une étoile est née (A Star is Born)*, William Wellman, Prod. David O'Selznick, 1937, avec Janet Gaynor, Fredric March.
– *Un vrai cinglé de cinéma (Hollywood or Bust)*, Frank Tashlin, Paramount, 1956, avec Jerry Lewis, Dean Martin, Anita Ekberg.

V - W - Z

– *Violent, Le (In a Lonely Place)*, Nicholas Ray, Santana-Columbia, 1950, avec Humphrey Bogart, Gloria Grahame.
– *What Price Hollywood* (inédit en France), George Cukor, R.K.O., 1932, avec Constance Bennett, Lowell Sherman.
– *Wild Party, The*, James Ivory, American International Pictures, 1975, avec James Coco, Raquel Welch.
– *Zinzin d'Hollywood, Le (The Errand Boy)*, Frank Tashlin, Paramount, 1962, avec Jerry Lewis.

BIBLIOGRAPHIE

Nous présentons ici une bibliographie sélective, regroupant les ouvrages généraux (hors dictionnaires et répertoires) sur l'histoire d'Hollywood et, par périodes, ceux qui ont directement servi à l'écriture de cet ouvrage. Sauf mention contraire, le lieu d'édition est Paris. On se reportera aussi aux ouvrages cités dans la partie «Témoignages et Documents», qui ne sont en général pas repris ici.

Ouvrages généraux
– P. Artis, *Histoire du cinéma américain*, Editions Colette d'Halluin, 1947.
– M. Boujut (dir.), *Europe-Hollywood et retour*, Editions Autrement, «Mutations» n° 79, 1986.
– J. Finler, *The Hollywood Story*, Octopus Books, Londres, 1989.
– Ch. Ford, *La Vie quotidienne à Hollywood*, Hachette, 1972.
– Ch. Ford, *Hollywood Story*, Editions La Jeune Parque, 1968.
– D. Gomery, *L'Age d'or des studios*, Editions de l'Etoile-Cahiers du cinéma, 1987.
– R. Haver, *David O'Selznick's Hollywood*, Bonanza, New York, 1985.
– J. Izod, *Hollywood and the Box-Office, 1895-1980*, Columbia University Press, New York, 1988.
– E. Morin, *Les Stars*, Le Seuil, 1957.
– R. Robaten, C. Temerson, R. Warburton, *Hollywood, Petite Histoire d'un grand empire*, Eschel, 1986.
– R. Sklar, *Movie-made America. A Cultural History of American Movies*, Vintage, New York, 1976.

Le temps du muet
– E. Bowser, *The Transformation of Cinema, 1907-1915, History of the American Cinema*, II, Scribner's Sons, New York, 1990.
– K. Brownlow, *Les Pionniers*, Calmann-Lévy, 1979.
– Collectif, *Sulla via di Hollywood, 1911-1920*, Biblioteca dell'immagine, Pordenone, 1988.
– R. Florey, *Hollywood années zéro*, Seghers, 1972.
– R. Florey, *Hollywood Village*, Pygmalion, 1986.
– R. Koszarski, *An Evening's Entertainment, 1915-1928, History of the American Cinema*, III, Scribner's Sons, New York, 1990.
– J.-L. Leutrat, *L'Alliance brisée*, P.U.L.-Institut Lumière, Lyon, 1985

Des premiers parlants à 1950
– J.-L. Bourget, *Hollywood années trente*, Hatier, 1986.
– Collectif, *Hollywood. Lo studio system*, Marsilio, Venise, 1982.
– R. Fine, *Hollywood and the Profession of Authorship*, U.M.I. Research Press, Ann Arbor, 1985.
– O. Friedrich, *City of Nets. A portrait of Hollywood in the 40's*, Harper & Row, New York, 1986.
– E. Levy, *And The Winner is... The History and Politics of the Oscar Awards*, Hungar, New York, 1987.
– A. Masson, *L'Image et la parole, l'avènement du cinéma parlant*, La Différence, 1989.
– A. Masson (dir.), *Hollywood, 1927-1941. La Propagande par les rêves*, Editions Autrement, «Mémoires» n° 9, 1991.
– T. Schatz, *The Genius of the System. Hollywood Filmmaking in the Studio Era*, Simon & Schuster, Londres, 1989.
– A. Scott Berg, *Sam Goldwyn, la légende d'Hollywood*, Calmann-Lévy, 1989.

De 1950 à aujourd'hui
– M. Ciment, *Passeport pour Hollywood*, Le Seuil, 1987, *reprint* Ramsay Poche Cinéma, 1992.
– Collectif, *Hollywood verso la televisione*, Marsilio, Venise, 1983.
– Collectif, *Hollywood in progress*, ibid., 1984.
– J.-P. Coursodon, B. Tavernier, *Cinquante Ans de cinéma américain*, 2 vol., Nathan, 1990.
– J. Monaco, *American Film Now*, New American Library, New York, 1979.
– V. Navasky, *Les Délateurs. Le cinéma américain et la chasse aux sorcières*, Balland, 1982, *reprint* Ramsay Poche Cinéma, 1990.

Mémoires
Les mémoires de stars et réalisateurs sont innombrables. On a essentiellement utilisé ici, publiées en *reprint* dans la précieuse collection Ramsay Poche Cinéma, les mémoires de Frank Capra, Raoul Walsh, Garson Kanin, Robert Parish, Gloria Swanson, Lilian Gish, Vincente Minelli, King Vidor, ainsi que celles de Charlie Chaplin (reprises au Livre de Poche), Groucho Marx et Buster Keaton (Points Seuil), Josef von Sternberg (Flammarion) et Shirley Temple (Editions N°1).

TABLE DES ILLUSTRATIONS

INDEX

STAN LAUREL AND OLIVER HARDY. Metro Goldwyn Mayer

CRÉDITS PHOTOGRAPHIQUES

Archives Gallimard, Paris 89hg, 89hd. British Film Institute, Londres 6/7, 8/9, 12, 13, 14/15, 15, 20, 22/23, 28, 29, 46mg, 48h, 50b, 51h, 51b, 53, 54, 66/67, 67, 70b, 70/71, 73h, 75h, 76/77, 78/79, 80, 81bg et bd, 82h, 82b, 83h, 83b, 84, 86/87, 96d, 98g, 98/99, 104/105, 131, 132, 136, 140, 152/153, 175. Bibliothèque nationale, Département des Arts du spectacle, Paris 21b, 26md, 36/37, 42h, 42m, 42b, 43, 47h, 47m, 48b, 49m, 52, 55hd, 55m, 56h, 56m, 57, 58/59, 59, 66, 68h, 70hg, 85hd, 90/91, 97, 123, 142h, 147. Cahiers du Cinéma, Paris 2/3, 21h, 23, 24h, 38/39, 45b, 58, 64, 68d, 73b, 105, 116/117, 119h, 119b, 126b, 129, 143h, 146, 149. Centre expérimental de cinéma, Rome 118bg, m et d, 119m. Christophe L., Paris 138. Cinémathèque française, Paris 81h, 85hg, 85b, 87h, 95, 96gh, 96gm, 102b, 118h, 137h, 157h, m et b, 169. Ciné Plus, Paris couv. 1er plat et dos, 1, 2, 4/5, 7, 8, 11, 60, 61, 63h, 63mg, 63 md, 65, 68mg, 72, 74/75, 75b, 87b, 92h, 93b, 98dh, 99, 101, 104, 106, 107, 108, 108/109, 109hg, 109m, 110/111, 112, 114b, 117b, 120/121, 121h, 121md, 122/123, 123hg, 123hd, 124, 126h, 126/127, 128, 144, 145,159. Coll. part. 69, 71, 72bg, 76, 77, 88/89, 89hm, 92b, 94, 96gb, 96/97, 100, 100/101, 102/103, 103, 109b, 114hg, 114hd, 121mg, 125b, 135, 141, 142, 143b, 149b, 156, 161, 174. D.R. 86, 90. Explorer, Paris 62g et d, 64/65, 139, 150, 151. Kobal Collection, Londres couv. 2ème plat 55hg, 55b, 70hd, 91. Collection Daniel Bouteiller, Paris 114/115. © Walt Disney/Ciné Plus 93h, 112hg, 112hd, 112b, 112/113h, 113h, 113b.

REMERCIEMENTS

Christian-Marc Bosséno et Jacques Gerstenkorn remercient Emmanuelle et Jean-Philippe Butaud, Anna Samueli, Carole Le Berre, Myriam et Henri Dybnis pour l'aide qu'ils ont bien voulu leur apporter. Les Éditions Gallimard adressent leurs sincères remerciements au Département des Arts du spectacle et au Service photographique de la Bibliothèque nationale de France.

ÉDITION ET FABRICATION

DÉCOUVERTES GALLIMARD
COLLECTION CONÇUE PAR Pierre Marchand.
DIRECTION Élisabeth de Farcy.
COORDINATION ÉDITORIALE Anne Lemaire.
GRAPHISME Alain Gouessant.
COORDINATION ICONOGRAPHIQUE Isabelle de Latour.
SUIVI DE PRODUCTION Fabienne Brifault-Dandé.
SUIVI DE PARTENARIAT Madeleine Gonçalves.
PROMOTION & PRESSE Flora Joly et Pierre Gestède.

HOLLYWOOD, L'USINE À RÊVES
ÉDITION Odile Zimmermann.
ICONOGRAPHIE Philippe Nédellec.
MAQUETTE Roberta Maranzano.
LECTURE-CORRECTION Pierre Granet.

Table des matières